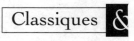 

Éric-Emmanuel Schmitt
La Nuit de Valognes

Nouvelle version 2005 revue par l'auteur

Présentation, notes, questions, après-texte et interview établis par

CLAUDIA JULLIEN
professeur de lettres en classes préparatoires

PIERRE BRUNEL
professeur à la Sorbonne

MAGNARD

Sommaire

ÉLÉMENTS BIOGRAPHIQUES

Éric-Emmanuel Schmitt est né à Lyon en 1960, de parents d'origine alsacienne. Interrogé par un journaliste, il se peint comme un adolescent rebelle, ne supportant pas les idées reçues et parfois victime d'accès de violence. Mais la philosophie, pense-t-il, l'a sauvé en lui apprenant à être lui-même et à se sentir libre. Ses études l'ont mené à l'École normale supérieure, à l'agrégation et au professorat de philosophie, comme maître de conférences.

Sa carrière de dramaturge semble être née à l'âge de huit ans, d'une expérience théâtrale fortement intériorisée. Un jour, sa mère l'emmène voir une représentation de *Cyrano de Bergerac* avec Jean Marais. L'enfant est bouleversé jusqu'aux larmes et le théâtre devient sa passion. Il se met à écrire : « À seize ans, j'avais compris – ou décidé – que j'étais écrivain, et j'ai composé, mis en scène et joué mes premières pièces au lycée. » Pour améliorer son style, il se livre avec fougue et ferveur à des exercices de réécriture et de pastiche, en particulier de Molière. *La Nuit de Valognes*, œuvre écrite à 29 ans, témoigne encore de ce goût et des réminiscences culturelles emmagasinées par la mémoire. Cette première pièce de l'auteur, préparée par les exercices littéraires qui l'ont précédée, sera rédigée finalement d'un seul jet. Grâce à l'actrice Edwige Feuillère qui la recommanda à plusieurs metteurs en scène, la pièce fut jouée à la Comédie des Champs-Élysées en 1991. La carrière de l'auteur dramaturge commençait. D'autres œuvres suivirent, parfois couronnées par des prix littéraires au pouvoir médiatique. Certaines entrèrent dans la carrière audiovisuelle ou cinématographique comme *Le Visiteur*, créé en 1993, *Monsieur Ibrahim et les Fleurs du Coran*[1], créé en 1999.

L'auteur, mélomane passionné d'art lyrique, a également traduit le livret du *Don Giovanni* de Mozart en 2001. De son goût de la philosophie et de sa thèse sur Diderot, il a tiré un essai : *Diderot ou la Philosophie de la séduction* (1997). Cette séduction est à la fois celle qu'éprouve Diderot devant la multitude des idées qui s'offrent à lui et celle qui séduit, par contrecoup, le philosophe chercheur. L'auteur explore avec ferveur cette pensée dynamique qui refuse de s'enfermer dans un système ou dans un genre. Schmitt fait sienne la démarche de Diderot. Il est conduit à examiner, au fil de ses propres œuvres, la relation de l'homme et de sa conscience, dans un monde en quête de valeurs où chacun pourrait se reconnaître, en dehors de tout dogmatisme et de tout fanatisme.

Plus inattendue, la référence à Jules Barbey d'Aurevilly s'impose quand on aborde *La Nuit de Valognes*. Le romancier normand était né à Saint-Sauveur le Vicomte le 2 novembre 1808, mais Valognes était la ville de ses ancêtres et d'un oncle chez lequel il venait souvent. « Le plus bel amour de Don Juan » et « Le Bonheur dans le crime », dans le recueil de nouvelles *Les Diaboliques* (1874) ont laissé des traces dans la pièce d'Éric-Emmanuel Schmitt, qui se plaît à rappeler aussi qu'étant une année professeur au lycée de Cherbourg, il prenait un train qui stationnait en gare de Valognes. De là à rêver qu'une nuit…

---

1. Cet ouvrage est disponible dans la collection «Classiques et Contemporains» (n° 57).

CONTEXTE LITTÉRAIRE ET CULTUREL
DE *LA NUIT DE VALOGNES*

Don Juan est le héros d'un mythe littéraire riche et complexe, né en Occident chrétien. Dans la préhistoire du mythe, on trouve des légendes archaïques imprégnées de superstitions ou de croyances (transgression du respect sacré dû à un mort et châtiment). Mais l'origine littéraire du mythe revient à l'Espagnol Tirso de Molina et à son œuvre théâtrale *El Burlador de Sevilla* (*L'Abuseur de Séville*, 1630). Cette pièce percutante, mêlant comique et tragique, a favorisé la naissance et l'essor du mythe. Désormais, chaque époque verra renaître Don Juan, et des auteurs très divers se réapproprieront les éléments fondamentaux qui signalent la présence du mythe : le séducteur transgresseur, les femmes séduites et, englobant l'ensemble de l'histoire, le thème du (ou de la) mort. L'ouvrage de Jean Rousset, *Le Mythe de Don Juan*, fait le point sur la question (voir bibliographie p. 149). Selon les écrivains, le thème de la mort, chargé d'abord de sacré et d'éléments religieux, peut entrer dans la sphère du profane et permettre d'explorer tabous et interdits. Tragique en lui-même, ce thème peut également participer au renouvellement des personnages. Don Juan, dont l'essence est de transgresser les règles édictées au risque de se perdre, peut devenir, par là même, le catalyseur de tous les fantasmes et de tous les désirs.

Éric-Emmanuel Schmitt propose dans cette œuvre une version moderne du mythe de Don Juan qu'il transpose dans un contexte historique, social et personnel : un XVIIIe siècle dans une ébullition libertaire imaginaire d'avant la Révolution qui fait éclater les questions de mœurs et de morale, et une expérience de la relation à l'autre. Auteur et philosophe, Éric-Emmanuel Schmitt est particulièrement séduit par une petite phrase de Diderot que l'on réduit trop souvent au matérialisme athée : «Mes pensées ce sont mes catins.» Cette phrase est à elle seule tout un programme anticonformiste et antisectaire. Elle suggère le contraire de la pensée unique. Elle signifie que le philosophe (quel qu'il soit) ne peut être rangé sous une étiquette qui le figerait à l'intérieur d'une pensée statique. Les idées sont libres d'aller et venir au gré des expériences et de la destinée, un peu à la manière dont évolue le Don Juan de Schmitt.

D'une part, la vie est en perpétuel mouvement, ce qui, dans la pensée matérialiste, pourrait se traduire par l'image du mouvement des atomes dont sont faits les corps; d'autre part, aucune pensée authentique n'est simple et chacune a le droit de se heurter et de se confronter aux autres. À la limite, le philosophe pourrait même se réserver le droit de se contredire, ou, du moins, s'il en éprouve le besoin, de changer d'idée. Mais cette liberté, et c'est essentiel, ne va pas sans une part de «morale», ou plutôt d'éthique destinée à maintenir l'homme dans des limites qui lui évitent de détruire et de s'autodétruire, en un mot de faire le mal. Ne sommes-nous pas déjà, en disant ces mots, dans l'aventure du Don Juan de *La Nuit de Valognes*?

Cette œuvre est la première pièce de l'auteur. À ce titre, elle témoigne non seulement de quelque chose d'essentiel en provenance de lui-même, mais elle hérite aussi, selon Schmitt lui-même, de ce qui l'a précédée «de rêves, de tentatives, d'enthousiasmes avortés, d'espoirs fébriles, d'impatience, de déceptions, et encore d'impatience». S'il déclare qu'il a «beaucoup écrit avant de tracer, à vingt-neuf ans, d'un seul jet, *La Nuit de Valognes*», on peut dire aussi que sa mémoire a retenu de ses lectures de quoi disséminer dans son texte de nombreuses réminiscences d'autres textes. Tout cela suggère une démarche de création qui est une recréation. L'auteur part du connu (Don Juan et son mythe) pour aller à l'inconnu. Cet inconnu renvoie, dans le cas de l'œuvre étudiée, à la complexité de l'être humain, et ici, particulièrement, de l'être masculin, miroir (déformant) de l'autre que lui (la femme) et du même que lui (l'homme). Mais le texte va bien au-delà des sexes et tout le jeu théâtral consiste à faire jaillir du reflet déformé de quoi enrichir notre connaissance de l'homme donjuanesque. Il rejoint, au-delà de la question littéraire, un questionnement existentiel général.

«*La Nuit de Valognes* propose ma vision de Don Juan – de même que *Le Libertin*, sous le masque de Diderot, expose ma vision de Casanova. Don Juan est un être en perpétuel mouvement qui voudrait être arrêté. Il est mû par le désir et souhaiterait s'ancrer dans l'amour. Mais l'équation est impossible. Réaliser ses pulsions fait vaincre la résistance de l'autre. Une fois que Don Juan a gagné, il ne lui reste plus rien, ni l'autre, ni la pulsion. Don Juan ne sait pas jouir car il ne pense qu'à triompher. […]

La vie de Don Juan s'est concentrée sur le sexe sans qu'il ait rien compris au sexe. Il ne voit dans le sexe que la réalisation égocentrée de sa pulsion, sans apercevoir les portes qui s'ouvrent alors, le plaisir, la volupté partagée, la relation à l'autre, l'horizon des sentiments.

Don Juan, certes toujours en mouvement, tourne en rond. À l'écoute de ses seules pulsions, il est condamné à de perpétuelles exténuations. Sa vie d'aventures est devenue bègue et ennuyeuse. Je me suis amusé à la contrarier fortement. [...]»[1]

---

1. Propos recueillis sur le site Internet officiel de l'auteur (voir Internet p. 150).

RÉSUMÉ

Quatre femmes arrivent dans un château délabré de Normandie. Ce sont d'anciennes victimes de Don Juan convoquées par la duchesse de Vaubricourt pour faire le procès du séducteur. Pour châtiment, il devra épouser sa dernière victime, Angélique, filleule de la Duchesse. Survient Don Juan. Dans le temps de l'action, il a vécu une expérience avec un étrange « jeune homme » mais nul ne le sait encore. Un jeu de masque s'instaure où chacun joue son propre rôle. Don Juan esquive tous les coups et contre-attaque en s'acharnant sur la plus fragile qui éclate en sanglots. Le procès est justifié. Mais en entendant le nom de sa dernière victime, Don Juan change de ton et accepte la réparation. Serait-ce une ruse ?

Le procès se prépare. Don Juan s'interroge sur lui-même, Sganarelle joue le rôle de la « conscience » et s'étonne du mariage qui se trame car – ô surprise ! – son maître se désintéresse des femmes. Au cours d'une vive discussion avec Angélique, Don Juan se défend en alléguant les faits : certes, il l'a abandonnée, mais il l'épouse. C'est dans l'ordre. Deux conceptions de l'amour s'opposent : plaisir consommé dans l'instant ou engagement éternel. Don Juan refuse l'engagement qu'il assimile à une vaste comédie sociale jouée au nom d'un code moral qu'il récuse. Comprenant que le mariage est pour lui sans importance, Angélique tente de lui faire comprendre ce qu'est cet amour qu'il ignore et qu'elle a appris de lui sans qu'il en soit même conscient. Il éprouve de l'émotion. La Duchesse, cachée, a tout entendu et annonce aux femmes l'abandon d'un procès qui n'a plus lieu d'être.

Don Juan survient, vieilli, méconnaissable. Le procès aura lieu mais il change de nature : on jugera le traître à lui-même! Sganarelle, avocat de la défense, démontre que ce changement est une ruse pour échapper au mariage. Don Juan doit s'expliquer. Un retour en arrière, semble-t-il, fait assister aux rencontres successives de Don Juan et du Chevalier, frère d'Angélique. Le processus est étrangement itératif jusqu'au moment où le Chevalier disparaît, alors qu'un lien s'était créé qui ne relevait sans doute pas de la simple amitié. Il devient comme fou, s'exhibe avec une prostituée. Angélique l'apprend à Don Juan qui, pris d'un accès de démence, se jette sur elle. Elle cède et se croit aimée. Le Chevalier revient pour se battre en duel. Ce n'est pas un acte de vengeance ou d'honneur mais un suicide déguisé. Il se jette sur l'épée de Don Juan et mourra dans ses bras après un aveu mutuel d'amour. Transformé par cette expérience qui l'ouvre à autrui, Don Juan souhaite faire le bonheur d'Angélique. Elle refuse car c'est l'autre Don Juan qu'elle aimait, celui qui pour elle était le «vrai»! Tandis que les femmes accusent le coup, chacune trouvant à son tour sa propre vérité, Don Juan part vers une nouvelle vie.

Éric-Emmanuel Schmitt
La Nuit de Valognes

PERSONNAGES

DON JUAN, *sans âge.*

LA DUCHESSE DE VAUBRICOURT, *belle femme âgée.*

ANGÉLIQUE DE CHIFFREVILLE, *dite* LA PETITE, *jeune fille.*

LE CHEVALIER DE CHIFFREVILLE, *dit* LE JEUNE HOMME, *son frère.*

LA COMTESSE DE LA ROCHE-PIQUET.

MADEMOISELLE DE LA TRINGLE.

HORTENSE DE HAUTECLAIRE, *dite* LA RELIGIEUSE.

MADAME CASSIN.

SGANARELLE, *valet de Don Juan.*

MARION, *jeune et jolie servante de la Duchesse.*

ACTE I

Le salon d'un château de province au milieu du XVIIIe siècle. Visiblement on a perdu l'habitude d'y venir, les meubles sont anciens, les tapisseries défraîchies, et l'on voit, çà et là, des draps protecteurs, de la poussière et des toiles d'araignée.

5 *Un escalier monte à un étage.*

C'est la nuit au-dehors. On doit sentir alentour la froide obscurité de la plaine normande, le ciel noir et bas, et les clochers sans lune.

SCÈNE 1

La Comtesse entre en habits rouges, précédée de Marion, ser-
10 *vante de la Duchesse. Elle découvre sans plaisir l'état de la pièce.*

LA COMTESSE. Vous êtes bien certaine de ne pas vous tromper, ma fille ? Je suis la comtesse de la Roche-Piquet.

MARION. Je vais prévenir Madame de votre arrivée.

LA COMTESSE. Non, je savais la Duchesse originale, mais
15 qu'elle fût capable de donner des rendez-vous dans un débarras, je ne l'aurais pas soupçonné. Me demander de quitter Paris toute affaire cessante, sans un mot pour mon mari ou mes amants, passe encore, je dois bien cela à son amitié. Mais me demander de venir ici, au plus profond de la Normandie ! Ces
20 plaines interminables, ces arbres de pendus, ces maisons basses et cette nuit qui s'abat sans prévenir, comme une hache sur l'échafaud. A-t-on idée de mettre la campagne aussi loin de

Paris ? *(Passant un doigt dans la poussière.)* Vous êtes sûre que nous ne sommes pas à l'office[1] ?

25   MARION. Certaine, Madame, à l'office, vous vous croiriez à la cave.

LA COMTESSE. Alors je n'ose imaginer ce que l'on doit penser à la cave.

MARION. Madame la Duchesse n'a pas habité cette maison
30   depuis trente ans...

LA COMTESSE. Elle avait raison.

MARION. ...et puis il y a trois jours, elle a décidé de revenir ici.

LA COMTESSE. Elle a eu tort. Mais cette odeur, ma fille, cette
35   odeur ?

MARION. Le renfermé.

LA COMTESSE. Comme c'est étrange ! De la pierre, du bois, du tissu... On a toujours l'impression, d'ordinaire, que ce sont les humains qui dégagent des odeurs, et voilà que les objets s'y
40   mettent dès qu'on les laisse tranquilles... *(Elle regarde les meubles.)* Comme nos ancêtres devaient s'ennuyer... Pourquoi le passé semble-t-il toujours austère ?

MARION. Pardonnez-moi, Madame, mais j'entends une voiture.

45   LA COMTESSE. Comment ? Nous sommes plusieurs ?

Marion est déjà sortie. La Comtesse s'approche du feu pour s'y chauffer lorsqu'elle voit le portrait. Celui-ci reste caché au public.

---

1. Lieu autrefois réservé aux serviteurs de la maison (voir le sens abstrait du mot p. 60).

LA COMTESSE. Mon Dieu! Ce portrait…

Elle semble un instant paniquée, puis elle s'approche lentement,
50 *pour le contempler d'un air mauvais. Elle siffle entre ses dents.*

LA COMTESSE. Ah ça!

On entend le tonnerre gronder et l'on comprend qu'un orage est
en train de se déclarer au-dehors.

SCÈNE 2

La Religieuse entre, grelottante, suivie de Marion.

LA RELIGIEUSE. Mettez-moi près du feu, oui, là, près du feu.
Je n'en puis plus, je suis moulue. *(Voyant la Comtesse.)* Madame,
pardonnez-moi, je ne vous avais pas vue. Hortense de
5 Hauteclaire, ou plutôt, par la grâce de Dieu, sœur Bertille-des-
Oiseaux.

LA COMTESSE. Comtesse de la Roche-Piquet.

LA RELIGIEUSE. Comme je suis heureuse de vous connaître!
Je suis encore tout étourdie. J'en suis à mon premier voyage.
10 Vous êtes très belle. Oh, comment peut-on garder son calme au
milieu de ces secousses, de ces cahots? Je dois être horrible à
voir, non?

LA COMTESSE *(lui jetant un regard froid)*. Quelle importance?

LA RELIGIEUSE. Le Seigneur, en nous faisant femmes, nous a
15 rendu la vertu bien difficile! Il est si malaisé d'oublier son
visage!

LA COMTESSE. À votre place, j'y arriverais très bien.

LA RELIGIEUSE *(admirative)*. Comme vous avez l'esprit juste!

L'excès d'humilité révèle l'orgueil : on ne parle plus que de soi.
20 Je suis une sotte prétentieuse. *(Changeant brusquement.)* Je suis
tellement émue ! Cette lettre de la duchesse de Vaubricourt,
moi qui n'en reçois jamais, puis la supérieure qui m'appelle en
pleine nuit, la berline à la porte de derrière, ce cocher vêtu de
noir, et toutes mes sœurs qui dorment sans savoir où je suis...
25 LA COMTESSE *(ironique).* Un enlèvement, en quelque sorte ?

LA RELIGIEUSE *(sans réfléchir).* Exactement. *(Subitement
inquiète.)* Vous devez me trouver bien frivole ?

LA COMTESSE. Votre réclusion vous en donne le droit, et j'estime que la frivolité est une vertu qui sied bien à une femme ;
30 je suis moi-même dévote[1] de ce parti-là.

LA RELIGIEUSE. Je ne devrais pas vous laisser dire cela.

LA COMTESSE. Il faudrait ne pas l'entendre.

LA RELIGIEUSE *(apercevant le portrait).* Ah !... Mon Dieu !...
Au-dehors l'orage bat son plein.

35 LA COMTESSE *(ne comprenant pas).* Vous aurais-je choquée ?

LA RELIGIEUSE. Là... Là... Là... Le portrait !

LA COMTESSE *(comprenant).* Tiens, tiens ! *(Brusquement, à la
religieuse.)* Vous connaissez cet homme ?

LA RELIGIEUSE. Je... Je... Jamais vu !

40 LA COMTESSE. Vous avez crié, pourtant.

LA RELIGIEUSE. Jamais vu, jamais vu. Pas du tout. Ça ne lui
ressemble pas du tout. Connais pas[2]. *(Elle joue très mal.)* C'est

---

1. Retournement du sens des mots révélant l'esprit libertin de la Comtesse.
2. Registre elliptique émotionnel.

le froid, la chaleur, le voyage, se retrouver assise tout d'un coup. *(Ramassant fébrilement ses affaires.)* Je n'aurais jamais dû partir,
45 je retourne au couvent, je vais attraper la mort ici.

LA COMTESSE *(très doucement)*. Il vous a tant fait souffrir?

LA RELIGIEUSE *(geignant, sans réfléchir)*. Oh! oui tellement… *(Elle se rend compte qu'elle vient de se trahir.)* Mon Dieu, qu'est-ce que vous me faites dire? Aidez-moi, il faut que je parte, il
50 faudra m'excuser auprès de la Duchesse, dire que mon cocher a été rappelé au couvent.

SCÈNE 3

Marion entre, suivie de Mademoiselle de la Tringle. Lorsqu'elle voit la Religieuse sur le point de partir, elle prend d'autorité son bagage et l'emporte au premier étage, sans mot dire. Trop étonnée par ce geste, la Religieuse ne réagit même pas.

5 MADEMOISELLE DE LA TRINGLE. Madame. Ma sœur.

LA COMTESSE. Madame.

LA RELIGIEUSE. Madame.

MADEMOISELLE DE LA TRINGLE. Nous avons toutes rendez-vous avec Madame de Vaubricourt?

10 LA COMTESSE. Toutes. Et aucune ne sait pourquoi.

MADEMOISELLE DE LA TRINGLE. Je l'ignore aussi. *(À la Comtesse.)* Nous nous connaissons, je crois, Comtesse…

LA COMTESSE. Nous nous sommes côtoyées. Vous parliez dans certains salons où je me contentais de paraître,
15 Mademoiselle de la Tringle.

LA RELIGIEUSE. Mademoiselle de la Tringle? La célèbre Mademoiselle de la Tringle? L'auteur de *Diane et Phoebus*, des *Malheurs de la destinée*, des *Astres de l'Amour*?

LA COMTESSE *(ironiquement)*. Elle-même.

20 MADEMOISELLE DE LA TRINGLE. Mais oui. Je vois, ma sœur, que mes livres parviennent jusqu'aux havres de paix de nos couvents, et vous m'en voyez ravie.

LA RELIGIEUSE *(baissant les yeux)*. Ils y arrivent, certes, mais sous la cornette, nous n'avons pas le droit de les lire : ce sont

25 des romans d'amour. D'ailleurs, moi, je n'ai lu que *Les Astres de l'Amour*, et sœur Blanche s'est fait pincer[1] avec *Diane et Phoebus*. On ne l'a jamais revu. *Diane et Phoebus*, bien sûr, pas sœur Blanche. C'était si beau! Et si poétique! Le ton était tellement élevé!

30 LA COMTESSE. Ça! Cela se place sur des hauteurs qui ne sont point celles de l'amour terrestre. Tant de constance, de fidélité, d'obstacles et d'attentes, et tout cela pour rien, pas un baiser, ni même une accolade! Ce sont peut-être des romans d'amour, mais c'est ennuyeux comme la vertu. Mademoiselle ne parle

35 jamais des étreintes entre les amants, de la chaleur des corps, de la fougue des retrouvailles… sans doute manque-t-elle totalement d'imagination… ou d'expérience. Je n'ai jamais pu finir un seul de ses romans.

MADEMOISELLE DE LA TRINGLE. J'ignorais que vous sussiez[2]

40 lire.

---

1. Prendre (registre familier).
2. Comique de mot dû au décalage entre le registre soutenu de la phrase et l'effet burlesque produit par le subjonctif.

LA COMTESSE. Il est vrai que je n'en ai guère le temps. Voyez-vous, moi, les histoires d'amour, je n'ai pas l'habitude de m'asseoir à un bureau pour les vivre.

MADEMOISELLE DE LA TRINGLE. Je vois : vous les écrivez sur
45 votre peau.

LA COMTESSE. Oui, et encore, on m'aide!

LA RELIGIEUSE *(effrayée)*. Mesdames, mesdames, paix, voyons, paix, ne nous comportons pas comme de pauvres femmes. Tâchons plutôt de comprendre pourquoi la Duchesse nous a
50 fait venir ici. Je crois qu'il s'agit de quelque chose de grave, mon billet disait : « C'est une question de vie ou de mort. » Et le vôtre ?

MADEMOISELLE DE LA TRINGLE. « Il y va de l'honneur d'une femme. » Je suis immédiatement accourue.

55 LA RELIGIEUSE. Et vous, Comtesse ?

LA COMTESSE. Il y était simplement question d'« une affaire d'importance », mais je suis une intime de la Duchesse, elle n'a pas besoin de m'effrayer pour obtenir ma diligence[1]. Au fait, mademoiselle, avez-vous remarqué ce portrait ? *(Mademoiselle de*
60 *la Tringle chausse ses lunettes et le contemple calmement.)* Eh bien ?

MADEMOISELLE DE LA TRINGLE. Je vous demande pardon ?

LA COMTESSE. Qu'en pensez-vous ?

MADEMOISELLE DE LA TRINGLE. Oh, je ne suis guère experte en matière de peinture, quoique j'aie poussé assez loin un petit
65 talent dans l'aquarelle… Mais je crois pouvoir assurer qu'il est assez mauvais.

---

1. Ici, rapidité.

LA COMTESSE. Infidèle?

MADEMOISELLE DE LA TRINGLE. Oh, je ne juge pas de la ressemblance, je me place au point de vue de l'art. Le trait est un
70 peu mou et la composition mériterait d'être redressée. *(Elle
lâche tranquillement.)* C'est positivement une croûte[1]. *(D'un ton
faussement détaché.)* Vous connaissez le modèle?

LA COMTESSE. Très bien. Et vous?

MADEMOISELLE DE LA TRINGLE. Non, pas du tout.

75 LA COMTESSE *(regardant le portrait).* Et je ne suis pas près de
l'oublier, moi.

*L'orage redouble. Mademoiselle de la Tringle et la Religieuse
cachent leur émotion.*

Marion entre alors, précédant Madame Cassin.

SCÈNE 4

MARION. Veuillez entrer, Madame, maintenant que vous êtes
toutes arrivées, madame la Duchesse ne saurait tarder.

MADAME CASSIN *(légèrement mouillée par la pluie, s'approche
timidement pour saluer).* Mesdames... *(Lorsqu'elle voit le por-*
5 *trait.)* Ah!.... *(Elle défaille. La Religieuse l'empêche de tomber et
l'assied dans un fauteuil.)* Lui... C'est lui!

LA COMTESSE *(ironique, à Mademoiselle de la Tringle).* C'est
étrange, n'est-ce pas, une telle sensibilité à l'art?

---

1. Substantif péjoratif créant une antithèse comique avec l'adverbe «positivement».

MADEMOISELLE DE LA TRINGLE. Quand je vous disais que ce
10 portrait est très mauvais.

LA COMTESSE. Et je prétends, au contraire, qu'il est fort bon[1].

LA RELIGIEUSE. Remettez-vous, madame, remettez-vous,
vous n'avez que des amies ici. Prenez donc un verre d'eau, cela
vous apaisera.

15 MADAME CASSIN. Oh, mesdames, pardonnez-moi, c'est le
voyage, c'est l'émotion…

LA COMTESSE *(ricanante).* Oui, oui, bien sûr… Vous l'avez
reconnu?

MADAME CASSIN *(tentant d'ignorer les remarques de la*
20 *Comtesse).* La fatigue me fait manquer à tous mes devoirs, permettez-moi de me présenter : je suis Madame Cassin.

LA COMTESSE. Madame de?…

MADAME CASSIN. Madame Cassin. Épouse de Monsieur
Cassin, orfèvre de la rue Royale à Paris, et fournisseur du Roy.

25 LA COMTESSE. Tiens, je ne savais pas que la Duchesse tînt
boutique dans son salon. Mais nous sommes à la campagne,
sans doute cela n'a-t-il aucune importance.

LA RELIGIEUSE. Permettez-moi de faire les présentations.
Madame la comtesse de la Roche-Piquet, Mademoiselle de la
30 Tringle, célèbre romancière, et moi-même, Hortense de
Hauteclaire, devenue sœur Bertille-des-Oiseaux par la grâce de
Notre-Seigneur Jésus-Christ. Savez-vous pourquoi vous êtes

---

1. Paradoxe à la manière de Diderot (auteur de la pièce *Est-il bon? Est-il méchant?*, achevée en
1781) : s'il provoque la défaillance, c'est que le peintre s'est arrêté à l'apparence séduisante du
modèle. S'il laisse froid, c'est que le peintre a su rendre l'âme noire du modèle.

ici? Nous nous y sommes rendues sans bien en démêler les raisons.

35   MADAME CASSIN. Il ne m'a été donné aucune explication. J'ai reçu un billet de la Duchesse me demandant d'être ici ce soir, c'est tout.

LA COMTESSE. Naturellement, aux gens de ce monde on ne doit pas d'explication : il suffit de les siffler.

40   MADEMOISELLE DE LA TRINGLE. Je vous trouve bien agrippée à vos privilèges, Comtesse...

LA COMTESSE. Je suis née. Je n'ai pas besoin de transpirer pour justifier mon existence. Me suis-je jamais piquée de travailler?

45   MADEMOISELLE DE LA TRINGLE. Non, fort heureusement, car si l'on vous payait pour ce que vous faites, vous porteriez un bien vilain nom.

LA COMTESSE. Je ne vous permets pas...

LA RELIGIEUSE. Mesdames, mesdames, il faut nous comporter
50 dignement pour mériter l'intérêt que nous témoigne la Duchesse. Tâchons plutôt de comprendre pourquoi nous sommes ici. Il doit y avoir une raison. Qu'avons-nous en commun?

LA COMTESSE. Nous sommes des femmes.

MADEMOISELLE DE LA TRINGLE. Et alors? Cela ne justifie pas
55 le moindre point commun entre vous et moi, par exemple. Je ne suis pas de celles qui passent leur journée à se vêtir et à se peindre.

LA COMTESSE. C'est dommage, vous devriez.

MADEMOISELLE DE LA TRINGLE. Et je ne suis pas non plus de celles qui ne songent qu'à sacrifier leur dignité sur l'autel du lit d'un homme.

LA COMTESSE. Visiblement, vous avez assez peu sacrifié.

MADEMOISELLE DE LA TRINGLE. Je me suis donnée à l'art et à l'intelligence.

LA COMTESSE. Faute de grives, on mange des merles.

MADEMOISELLE DE LA TRINGLE. Je suis l'auteur de quatorze romans.

LA COMTESSE. Soit quatorze fois la même chose.

MADEMOISELLE DE LA TRINGLE. De quatorze romans, d'une grammaire du grec ancien et d'une nouvelle traduction d'Hérodote[1].

LA COMTESSE. Bonne idée. Mieux vaut s'en prendre aux morts. Ils n'ont pas l'osselet baladeur. Vous assurez votre vertu.

MADEMOISELLE DE LA TRINGLE. Mais je n'ai pas besoin de lutter pour être vertueuse.

LA COMTESSE. C'est vrai. Le vice se décourage de lui-même en vous voyant.

MADEMOISELLE DE LA TRINGLE. Tandis que lorsqu'il vous voit…

LA COMTESSE. Parfaitement, il grossit et il devient tout rouge !

LA RELIGIEUSE. Mesdames, mesdames, paix entre vous, je

---

1. Grec d'Asie Mineure né au Ve siècle av. J.-C., au temps des guerres médiques. Grand voyageur, auteur des *Histoires* (ou *Enquêtes*, sens premier du mot «histoires»). Cicéron l'appelle le «père de l'histoire».

vous prie, paix entre vous. Que va penser madame la Duchesse?

SCÈNE 5

LA DUCHESSE *(apparaissant en haut de l'escalier)*. La Duchesse est pleine d'indulgence pour l'humanité, ou disons qu'elle a perdu toutes ses illusions, ce qui revient au même. Bonsoir, mesdames. *(Elle descend. On la salue.)* Dieu que vous êtes char-
5 mantes, toutes ces Parisiennes à la campagne, comme c'est frais, comme c'est piquant, un vrai bouquet des villes. Ah, cette santé, cette vie dans ces vieux murs, c'est terrible, savez-vous, la maison n'en paraît que plus vieille, plus délabrée. Et moi aussi sans doute.
10 LA RELIGIEUSE. Duchesse...

LA DUCHESSE. Merci, ma sœur, merci.

MADEMOISELLE DE LA TRINGLE. Allons, Duchesse, voyons, la beauté, cela a tellement peu d'importance!

LA DUCHESSE. Ne dites pas cela, c'est une parole de laide, on
15 pourrait vous croire. *(Élégamment.)* Je vous en prie, asseyez-vous.

Les femmes s'assoient, sauf la Comtesse, trop impatiente et trop nerveuse pour s'immobiliser sur un siège.

Un temps.
20 *La Duchesse semble ne pas entendre ce silence, ni saisir la gêne.*

LA DUCHESSE. Vilain temps, n'est-ce pas?...

LA RELIGIEUSE *(renchérissant)*. Ouh là, là!...

LA DUCHESSE *(à la Comtesse)*. Je suis profondément indifférente au temps qu'il fait, mais j'ai appris qu'en société, on n'en
25 parlait que pour s'en plaindre… *(Elle se retourne immédiatement vers la Religieuse et répète, d'un ton appuyé.)* Vilain temps, n'est-ce pas?

LA RELIGIEUSE *(automatiquement)*. Ouh là, là…

La Comtesse ne supporte pas ce bavardage.

30 LA COMTESSE. J'imagine cependant que ce n'est pas pour nous délivrer ces désopilantes réflexions sur l'existence que vous avez pris la peine, Duchesse, de nous mander[1] ici?

LA DUCHESSE. Ma chère Aglaé, je vous reconnais bien là, toujours directe, franche, impolie, la parole prompte. Je vous dois en
35 effet une explication. Asseyez-vous, je vous prie. *(La Comtesse ne s'assoit pas. Un temps.)* Voilà : mon paon[2] est en train de mourir.

LA RELIGIEUSE. Votre… ?

LA DUCHESSE. Mon paon. *(Expliquant aux femmes qui semblent ne pas comprendre.)* Vous savez, l'animal qu'il y a sous les
40 plumes… Car elles ne poussent pas seulement dans les vases ou sur les chapeaux… *(Pour elle-même.)* Je n'ai d'ailleurs jamais compris comment les femmes pouvaient se planter sur la tête ce que cet oiseau porte sur le derrière…

LA COMTESSE. Il vaut mieux cela que l'inverse.

45 LA DUCHESSE *(conciliante)*. Certes.

MADEMOISELLE DE LA TRINGLE *(voulant comprendre)*. Votre paon est en train de mourir?

---

1. Appeler, convoquer (sens vieilli).
2. Pour le paon, se reporter à l'étape 7, p. 126-127.

LA DUCHESSE. Voilà.

MADAME CASSIN. Vous y étiez très attachée?

50 LA DUCHESSE. Nous nous connaissons depuis l'enfance.

LA RELIGIEUSE *(naïvement).* Je ne savais pas que les paons vivaient aussi longtemps.

LA DUCHESSE *(faussement vexée).* Je vous remercie. *(Changeant de ton sans transition.)* Dans ma famille, il est 55 d'usage que tout enfant naisse en même temps qu'un paon. C'est une tradition. Nous sommes nés ici, mon paon et moi, enfin, lui dans le parc et moi dans la chambre de l'aile droite. *(Changeant de ton.)* Oui, je l'avoue, j'ai négligé mon paon pendant ma vie de femme. Et puis, presque par hasard, je suis reve-60 nue ici il y a quinze ans. J'ai vu mon paon dans un si pauvre état, grossi, boiteux, déplumé, rhumatisant, sa queue ne déployant qu'un éventail édenté, que ce jour-là, je me suis apitoyée sur nous-mêmes. Oui, nous avions vieilli. Il était bien passé, le temps de nos splendeurs. Car je dois dire sans fausse 65 modestie que c'était un très beau paon. De l'avis général. Alors je l'ai emmené avec moi, à Paris, où il vécut dans mon jardin. Mais cette dernière semaine fut terrible pour lui, son état s'est aggravé : il respire avec peine et trahit des signes de grave lassitude. Il ne peut plus ni bouger ni chanter.

70 LA RELIGIEUSE. Cela chante, un paon?

LA DUCHESSE *(joyeuse).* La première fois que je me suis trouvée à l'Opéra, j'ai cru qu'il s'était caché dans la fosse.

LA RELIGIEUSE *(sans rapport).* La pauvre bête.

LA DUCHESSE. N'est-ce pas? Mais je n'ai pas peur pour moi.
75 Mon père a survécu cinq ans à son paon, ce que je trouve
d'ailleurs injuste car mon père était assommant et son paon
délicieux. *(Disant sans transition, d'un ton tragique.)* Il n'en a
plus que pour quelques heures!

LA COMTESSE. C'est bien triste mais qu'y pouvons-nous?
80 J'avoue que je ne m'y connais guère en paons.

LA DUCHESSE *(gaie).* Je sais, ce ne sont pas vos oiseaux habi-
tuels. *(Changeant de ton.)* C'est l'heure des comptes, Aglaé, il
faut boucler nos existences. Je parle pour nous toutes. Mon
paon agonisant m'indique qu'il est temps de mettre mes
85 affaires, vos affaires, en ordre, et je vais vous aider à le faire.

MADEMOISELLE DE LA TRINGLE. Mais qu'avons-nous à voir
avec tout cela?

LA COMTESSE. De quoi parlez-vous?

LA DUCHESSE. Il va venir. Je le tiens. Il doit être là ce soir.
90 *L'orage redouble dans la nuit noire.*

LA COMTESSE *(pense avoir compris et demande avec espoir).*
Mais qui?

LA DUCHESSE. Celui qui est là, peint sur ce portrait, que vous
avez toutes vu en entrant et que vous évitez de regarder depuis
95 que je vous parle, celui auquel vous pensez sans cesse pendant
que je débite mes sottises : Don Juan.

LA COMTESSE. Don Juan!

MADAME CASSIN. Mon Dieu!...

LA RELIGIEUSE. Mais madame la Duchesse...

100   LA DUCHESSE. C'est pour cela que nous sommes ici, comme l'a compris tout de suite ma chère Aglaé. Car voici celles que j'ai convoquées ici ce soir : les victimes de Don Juan.

    MADEMOISELLE DE LA TRINGLE, LA RELIGIEUSE, MADAME CASSIN *(toutes les trois ensemble).* Quoi ? Mais pas du tout ! De quoi
105 parlez-vous ? C'est une honte. Je n'ai rien à voir avec...

    LA DUCHESSE. Ne caquetez pas, je vous en prie. Les lois de la nature humaine, je le sais, exigent que pendant quelques instants vous niiez mais s'il vous plaît, soyez fortes, évitez-moi les protestations, les grands dénis, et passez directement à l'assen-
110 timent. *(Changeant de ton.)* Ce soir, Don Juan va venir. Il ne sait rien, il croit se rendre à un bal, mais nous, cinq femmes, cinq femmes qu'il a bafouées, cinq femmes défaites que la mémoire torture, que le passé supplicie, cinq femmes ici ce soir le jugeront et le condamneront. *(Ferme.)* Cette nuit, nous
115 ferons le procès de Don Juan.

    LA RELIGIEUSE. Nous le jugerons ?

    MADAME CASSIN. Et le condamnerons ?

    LA COMTESSE. À quoi ?

    LA DUCHESSE. À réparer.

120   LA COMTESSE. Comment ?

    LA DUCHESSE. En épousant une de ses victimes, en lui étant fidèle, et en la rendant heureuse.

    LA COMTESSE. Ridicule ! Il ne voudra jamais.

    LA DUCHESSE. Il acceptera.

125   LA COMTESSE. Vous rêvez.

LA DUCHESSE. J'ai ici une lettre de cachet[1] en blanc – le Roy me devait bien cela – où il me suffirait d'inscrire son nom. Voilà le marché que nous proposerons à Don Juan tout à l'heure : la réparation ou la prison.

130 LA COMTESSE. Bravo Duchesse, c'est de la belle œuvre. Et qui épouse-t-il ? J'imagine que cela aussi, vous l'avez prévu ?

LA DUCHESSE. Aucune d'entre nous, soyez rassurées…

LA RELIGIEUSE *(hypocritement)*. Plutôt mourir !

LA DUCHESSE. C'est ce que je pensais. Nous sommes des vic-
135 times anciennes de Don Juan, tout l'amour s'est éteint en nous, seule la haine reste vivace. *(Changeant de ton)*. Il y a là, au-dessus de nos têtes, une jeune fille dont les vingt ans veulent mourir. Vingt ans, il n'y a qu'à vingt ans que l'on est assez vivant pour vouloir mourir, il y faut une chair fraîche, des muscles
140 fermes, des os durs. Lorsque les forces décroissent, lorsque le corps esquisse toujours plus précisément son cadavre, croyez-moi, on ne veut pas mourir, on s'y accroche, à cette vie qu'on a tellement maudite lorsqu'on en avait tant. Elle a vingt ans, c'est une histoire banale pour nous : elle a connu Don Juan, il l'a
145 séduite puis abandonnée… comme les autres. C'est ma filleule. Il l'épousera.

LA RELIGIEUSE *(un peu sèchement)*. Elle bénéficie d'une chance que nous n'avons pas eue.

LA DUCHESSE. Je sais, sœur Bertille, je sais l'amertume de

---

1. Lettre scellée du sceau royal qui permettait, sous l'Ancien Régime, de condamner à l'emprisonnement ou à l'exil n'importe quel sujet. Ici, la Duchesse représente l'autorité suprême.

150 donner ce que l'on a voulu recevoir. La bonté est dure. *(Angoissée.)* Nous? personne ne peut plus nous sauver... Mais nous allons sauver ma petite, et sauver Don Juan du même coup. Ainsi mon paon ne sera pas mort pour rien. *(Avec autorité.)* Acceptez-vous?

155   LA COMTESSE, LA RELIGIEUSE, MADAME CASSIN *(se regardent puis déclarent ensemble).* Nous acceptons.

    Elles se tournent vers Mademoiselle de la Tringle qui n'a rien dit.

    LA DUCHESSE. Vous ne vous joignez pas à nous, mademoi-
160 selle?

    MADEMOISELLE DE LA TRINGLE. Je ne saurais.

    LA COMTESSE. Et la raison?

    MADEMOISELLE DE LA TRINGLE. La raison est que je n'ai pas eu l'heur de connaître Don Juan ni le malheur d'être connue de
165 lui.

    LA DUCHESSE *(excessivement polie).* Croyez-vous?

    MADEMOISELLE DE LA TRINGLE. C'est plus qu'une croyance : une certitude.

    LA COMTESSE. Mais, en effet, Duchesse, comment avez-vous
170 pu savoir que toutes, un jour nous avions pu être séduites puis abandonnées par Don Juan? Que vous ayez pensé à moi, certes, je le comprends, on m'a prêté des liaisons avec tout ce que la terre porte de bipèdes mâles sans plumes[1], donc pourquoi pas Don Juan... Mais pour ces dames?

---

1. Allusion à une définition de Platon : «Homme : animal dépourvu d'ailes, bipède, dont les ongles sont plats ; celui qui, seul de tous les êtres, est apte à recevoir une connaissance, laquelle est de forme rationnelle» *(Définitions, 121,* Gallimard/Pléiade, *Œuvres complètes,* t. II, 1950, p. 1399).

175 LA DUCHESSE. Le carnet[1].

MADEMOISELLE DE LA TRINGLE. En tout cas, pour ma part, je...

LA DUCHESSE *(négligeant cette interruption)*. Sganarelle, le valet de Don Juan, a pris la déplorable mais bien utile habitude
180 d'enregistrer les conquêtes de son maître sur un carnet de maroquin vert. *(Elle le sort; les quatre femmes le regardent avec crainte.)* Vous aimez les chiffres? Sganarelle les adore. Et Don Juan aussi peut-être, à moins que ce ne soit le vertige. Italie : six cent quarante! Allemagne : deux cent trente et une. Cent pour
185 la France. En Turquie quatre-vingt-onze. Mais en Espagne : déjà mille et trois.

LA RELIGIEUSE. Mille et trois?

LA DUCHESSE. Mille et trois!

LA COMTESSE. Combien avez-vous dit pour la France?

190 LA DUCHESSE. Cent. Je suis surprise aussi. Bien sûr c'est trop, mais au regard des autres pays... Cent Françaises contre mille et trois Espagnoles moustachues à grosses hanches et au teint vert, c'est vexant. Je m'en ouvris à Sganarelle : «Pourquoi, lui dis-je, si peu de nos compatriotes? Serions-nous une nation de
195 laiderons, de tordues, de bancales, d'offenses à la nature?» Savez-vous ce qu'il me répondit? «Madame, les Françaises sont belles mais trop faciles. Mon maître aime qu'on lui résiste. Les Françaises l'attirent moins que d'autres car elles sont plus gour-

---

1. Élément traditionnel du mythe de Don Juan. C'est la fameuse liste des «mille et trois» conquêtes. Encore ce chiffre ne concerne-t-il que les Espagnoles!

mandes de plaisir que de vertu. Tandis que les Espagnoles…»
200 Effectivement je n'étais pas une femme facile.

LA RELIGIEUSE. Ni moi non plus.

MADAME CASSIN. Ni moi non plus.

LA COMTESSE. Moi, pas encore.

LA DUCHESSE *(ironique)*. Décidément, c'était un prix de
205 vertu, cet homme-là! Et c'est donc là, mesdames, que je vous ai
trouvées : votre défaite y fut minutieusement consignée.

MADEMOISELLE DE LA TRINGLE. Cependant je me permets de
douter que vous m'y ayez…

Entre Marion.

210 MARION. Madame, Monsieur Don Juan est arrivé!

MADAME CASSIN. Ah mon Dieu!

LA RELIGIEUSE. Laissez-moi partir!

MADEMOISELLE DE LA TRINGLE *(glapissante)*. Je n'ai rien à
faire ici.

215 LA DUCHESSE. C'est bien Marion, introduis-le. Et méfie-toi
de ce qu'il te racontera en chemin.

MARION *(sortant)*. Oh, Madame, il a l'air si inoffensif!

LA COMTESSE. Inoffensif? C'est lui!

MADAME CASSIN *(se recoiffant)*. Mon Dieu, mon Dieu.

220 LA RELIGIEUSE *(arrangeant les plis de sa robe)*. Je veux partir, je
veux partir, je vais rater matines.

*Dans le même temps, la Comtesse et Mademoiselle de la Tringle
rajustent leur toilette.*

LA DUCHESSE. Mesdames, mesdames, blâme général, je vous

225 rappelle à l'ordre. Que faites-vous? Vous vous ajustez, vous faites les coquettes : voudriez-vous lui plaire?...

LA RELIGIEUSE *(sans réfléchir)*. Ça vous va bien de dire cela, vous avez eu toute la journée pour vous préparer alors que nous, nous descendons de carrosse. Et puis à votre âge!

230 LA DUCHESSE. Ma sœur! *(Sévère.)* Surveillons-nous, mesdames, surveillons-nous. N'hésitons pas à jeter un blâme public sur celle qui fera le jeu de Don Juan en tentant de le séduire. Nous devons être solidaires. Dénonçons-nous les unes aux autres, sans hésiter! Nous sommes d'accord? Mais le voici.

235 *Et, inconsciemment, la Duchesse rajuste sa toilette.*

SCÈNE 6

Un éclair traverse la scène et la déchire, aveuglant les cinq femmes en même temps qu'un terrible coup de tonnerre retentit. Don Juan est entré.

DON JUAN. Je suis entré par le cimetière. La lune montrait sa
5 face noire. Un silence de chien qui hurle à la mort. Lorsque j'ai poussé la grille de fer, les chouettes ont lancé le signal de l'intrus, les rats ont couru se cacher sous les tombes, les vers luisants se sont mis en veilleuse, je crois que je les avais un peu dérangés. J'étais épié par mille regards dans l'ombre, c'est si
10 vivant, un cimetière. *(Un court temps.)* Étrange de penser que dans le sol, le sol que nous foulons, il y a de la poussière

humaine, d'anciens cœurs qui ont battu, que ce qui a été chair, sang, ventre, sperme est redevenu terre. Étrange voyage. À faire douter de la mort. Ou de la vie. *(Se tournant vers la Duchesse.)*
15 Je viens de voir la statue de votre trisaïeul[1], le comte de Lamolle : regard fixe, pose farouche, front haut, la main sur le glaive ! Dans ses yeux creux s'étaient installés de charmants oiseaux, deux petits nids d'oiseaux frileux… le voilà qui sert enfin à quelque chose. *(Brusquement.)* Mais j'interromps le bal ?
20   LA DUCHESSE. Du tout. Vous en donnez le ton. Eh bien, Don Juan, en quoi êtes-vous grimé ?

DON JUAN. En vil séducteur.

LA DUCHESSE. C'est parfaitement réussi. Et si l'on ôte le masque ?
25   DON JUAN. C'est encore plus ressemblant derrière. On dirait un vrai.

LA DUCHESSE. Merveilleux. Quelle conscience ! Quel soin dans la grimace ! Nous comptons sur vous pour nous tromper le plus possible.
30   DON JUAN. Je n'y manquerai pas. Et vous-même et ces dames, quel est votre déguisement ? Je l'identifie mal…

LA DUCHESSE. Ces dames et moi, nous avons mis le masque de vos anciennes victimes.

DON JUAN. Oh, expressément pour moi, comme c'est délicat,
35 vous êtes la plus attentionnée des hôtesses.

LA COMTESSE. Oui, oui, Don Juan, tes victimes. N'est-ce pas que c'est ressemblant ?

---

1. Allusion à une composante célèbre du mythe : la statue du Commandeur.

DON JUAN *(à la Duchesse)*. Madame est aussi une de mes victimes? *(Signe affirmatif de la Duchesse.)* Elle est bien virulente
40 pour une victime...

LA COMTESSE. Alors, Don Juan, nous sommes ressem-
blantes? Dis-le!

DON JUAN. Je ne sais pas. De mes victimes, pour l'heure, je
n'en ai jamais vu. Vous savez, les généraux se contentent de
45 remporter les victoires : c'est aux ambulanciers de ramasser les
cadavres.

LA DUCHESSE. Mais vous reconnaissez tous ces visages?

DON JUAN. Ces masques? Voyons... *(Il passe auprès d'elles
comme un maquignon.)* Comment cela devrait-il être, un visage
50 de victime? Dur, haineux, avec à la bouche le rictus amer du
souvenir et la mâchoire serrée sur la vengeance... Je ne vois rien
de tel sur ces faces-là. Tout au contraire...

LA DUCHESSE. Qu'y voyez-vous?

DON JUAN. J'y vois... c'est très flatteur pour moi, j'y vois de
55 la nostalgie au lieu de l'amertume, et, sur les joues, le rose de la
pudeur plus que de la colère; je vois des seins de femmes
coquettes et frémissantes qui se mettent au balcon pour mieux
voir ou pour mieux être vus, je vois... *(Brusquement à la religieuse.)* Vous êtes sûre que vous êtes aussi déguisée en victime?

60 LA RELIGIEUSE. Don Juan! Tu ne me reconnais pas?

LA COMTESSE. Un blâme, ma sœur, vous essayez d'attirer l'attention sur vous.

LA RELIGIEUSE. Mais...

LA COMTESSE. Un blâme, vous dis-je.

65 LA RELIGIEUSE *(grommelle).* Elle est jalouse parce qu'il m'a reconnue.

LA DUCHESSE. Trêve de plaisanteries, Don Juan, parlons sérieusement. Voilà bien des années que nous nous sommes… …croisés… …et depuis, il n'y a pas eu un jour où…

70 DON JUAN. Les années ont été indulgentes pour vous, Duchesse, car vous êtes aussi belle que naguère.

LA DUCHESSE. Taisez-vous, sot, je sais bien que cela n'est pas vrai, quoique cela me fasse plaisir. Vous me flattez. Allons, vous non plus, vous n'avez pas changé, vous êtes toujours le même, 75 souple, noir…

LA COMTESSE. Blâme!

LA DUCHESSE. C'est juste : il m'avait tourné la tête avec son compliment! Voici ce qu'il arrive lorsque l'on perd l'usage de la boisson : à la première petite liqueur, on se retrouve avec les 80 jupes retroussées. Oui, je vous reconnais bien, Don Juan, flagorneur[1], bouche avide, ces manières d'homme à qui tout est dû. Le diable vous a conservé pour être son ministre.

LA COMTESSE. Blâme.

LA DUCHESSE. Blâme? Mais je ne le ménage pas…

85 LA COMTESSE. Blâme. Il aime qu'on l'accable. Vous flattez son orgueil de scélérat.

LA DUCHESSE. Mon Dieu, qu'il est difficile de ne pas parler en femme!

LA COMTESSE. Je saurai, moi. Laissez-moi l'interroger.

---

1. Flatteur au sens le plus servile. Une flagornerie est généralement d'une évidente fausseté.

90 LA RELIGIEUSE. Blâme!

LA COMTESSE. Quoi?

LA RELIGIEUSE. Blâme! En intervenant tout le temps, elle tente de faire l'intéressante. C'est comme sœur Emmanuelle qui a toujours plus de péchés que tout le monde, c'est insup-
95 portable. De plus, vous blâmez chacune d'entre nous afin d'obtenir de tout diriger.

DON JUAN. Dites-moi, on est fin psychologue dans les couvents… Sans doute parce qu'on y pratique le vice à portes fermées.

100 LA DUCHESSE. Don Juan, je vais vous rafraîchir la mémoire. Vous ne reconnaissez personne ici?

DON JUAN *(regardant Madame Cassin).* Je reconnais la beauté sur quelques visages.

LA COMTESSE. Tu ne me reconnais pas, traître?

105 DON JUAN. Non, madame.

LA RELIGIEUSE. Ni moi?

DON JUAN. Non, madame.

MADAME CASSIN. Ni moi?

DON JUAN. Non.

110 LA DUCHESSE. Singulière amnésie. C'est sans doute cela, l'irresponsabilité.

LA COMTESSE. Tu ne peux avoir oublié…

LA RELIGIEUSE. Ces heures-là sont uniques dans une vie…

MADAME CASSIN. Je revois tout…

115 *Les trois femmes vont raconter de façon fluide le même récit,*

comme dans un rêve, les yeux perdus dans le passé. Cela a quelque
chose de liturgique.

   La lumière change.

   LA COMTESSE. Mon père donnait une réception, un de ces
120 repas qui rendaient encore plus tristes les longs après-midi de
ma jeunesse…

   LA RELIGIEUSE. Tu es entré. Personne ne t'avait invité, personne ne t'attendait, mais tu es apparu. Tu as salué, tu as souri,
à qui?…

125   MADAME CASSIN. Mon père a dit : « Joignez-vous à nous, Don
Juan, il ne sera pas dit que nous ayons négligé un hôte tel que
vous… »

   LA COMTESSE. Tu étais comme aujourd'hui, différent, élé-
gant, cynique, un diamant noir. Je regardais ailleurs mais je ne
130 voyais que toi…

   LA RELIGIEUSE. Et toi, tu faisais semblant de ne pas me voir.
Je dis bien *semblant* car on ne voyait que cela, que tu m'évitais.
Et chaque fois que ton regard m'esquivait, je me trouvais plus
belle…

135   MADAME CASSIN. Autour de la table, il y avait mon fiancé. Je
l'ai regardé, et, pour la première fois, je l'ai vu : il m'a paru
épais. Tout, sa façon de manger, ses mains, ses grosses articulations, tout révélait le paysan promu…

   LA COMTESSE. C'est à ce moment-là, alors même que le
140 désespoir me pinçait le cœur, lorsque j'allais m'apitoyer sur
moi-même, c'est à ce moment-là que tu m'as regardée…

   LA RELIGIEUSE. Qu'avaient-ils, tes yeux? Tes yeux ont brûlé

ma gorge, ont déchiré ma robe, je devenais une femme. Je ne sais comment personne ne le remarqua mais l'air s'était figé
145 autour de nous, les visages s'effaçaient un à un et nous restions seuls vivants au monde...

MADAME CASSIN. À la fin du repas, tu t'es levé. Tu as fait mine d'engager quelques conversations, de distribuer quelques compliments, mais c'était pour mieux t'approcher de moi et
150 lorsque tu fus tout près, que nous manquions de tomber l'un contre l'autre, tu m'as glissé le billet...

LA COMTESSE. Je ne sais ce qui m'a le plus troublée, ton billet ou le contact de nos mains. En tout cas, nous avions un secret, nous étions déjà complices. Je me suis retirée pour lire ton
155 mot...

LA RELIGIEUSE. Il était bref, impétueux comme ton désir. « Soyez ce soir à dix heures devant les bosquets bleus, ou demain je ne serai plus de ce monde... »

MADAME CASSIN. Un rendez-vous...
160 LA COMTESSE. ...interdit...

LA RELIGIEUSE. ...au clair de lune...

MADAME CASSIN. Bien sûr, j'ai immédiatement pensé que je n'irais pas...

LA COMTESSE. Ma tête disait non...
165 LA RELIGIEUSE. Mais mon cœur disait oui...

MADAME CASSIN. Alors il a fallu attendre. Oh! les heures interminables qui me séparaient de l'instant où je n'irais pas te rejoindre.

LA COMTESSE. Là tu me fis la cour. *Les plus beaux yeux...*

170 LA RELIGIEUSE. *La plus belle bouche…*

MADAME CASSIN. *Les plus petites mains…*

LA COMTESSE. Je te laissais faire, j'écoutais, les narines dila-
tées, j'aspirais tes compliments. Mais quand tu te fis plus pres-
sant, je refusai. Tu insistas. Je sentais ton désir d'homme, mais
175 l'on m'avait appris à dire non…

LA RELIGIEUSE. Alors je me suis enfuie, je crois. C'était
devenu le seul moyen de te résister. Je courus m'enfermer dans
ma chambre. Et je fondis en larmes derrière la porte…

MADAME CASSIN. Il se passa de longues minutes. Puis j'en-
180 tendis un faible grattement…

LA COMTESSE. *Qui est-ce?*

LA RELIGIEUSE. *C'est votre fiancé.*

MADAME CASSIN. Que se passa-t-il en moi? J'aurais dû reconnaître ta voix – je l'ai reconnue –, j'aurais dû reconnaître le stra-
185 tagème – je l'ai reconnu –, et cependant, j'ai ouvert…

LA COMTESSE. *Éteignez les bougies, ma douce amie, je ne vou-
drais pas choquer votre pudeur…*

LA RELIGIEUSE. …as-tu encore ajouté avant d'entrer…

MADAME CASSIN. Et je l'ai fait. *(Un temps.)* Alors…

190 LA COMTESSE *(un temps)*. Alors…

LA RELIGIEUSE *(un temps)*. Alors… Tu m'as embrassée, tu
m'as pressée contre toi, je ne pouvais plus reprendre haleine,
nous nous sommes jetés sur le lit… Nous…

*Elle ne peut pas le dire mais elle y pense, avec un plaisir horri-
195 fié.*

MADAME CASSIN. Nous…

Idem.

LA COMTESSE. Nous…

200 *Elles restent toutes trois immobilisées, figées dans la même pensée.*

LA DUCHESSE. Cela devait être fort monotone.

La réplique de la Duchesse les ramène au réel. L'éclairage redevient normal.

LA DUCHESSE *(à Don Juan).* Je vous croyais plus d'imagina-
205 tion.

DON JUAN. Pourquoi voudriez-vous que le loup change quand les agneaux restent les mêmes?

MADEMOISELLE DE LA TRINGLE *(n'y tenant plus).* Les yeux qui brûlent, les secrets, les faux refus, les clairs de lune! Quelles
210 fadaises!

LA RELIGIEUSE. Les mêmes que dans vos romans, Mademoiselle de la Tringle, exactement les mêmes. Et c'est pour elles que j'aime tant les lire.

MADEMOISELLE DE LA TRINGLE. Mais ne voyez-vous pas qu'il
215 vous manœuvre? Plus vous vous torturez, plus il triomphe. Cessez, mais cessez donc, il ne nous reconnaîtra pas.

DON JUAN *(calme).* C'est faux.

MADEMOISELLE DE LA TRINGLE *(troublée).* Quoi?

DON JUAN *(très calme).* C'est faux. Vous, je vous reconnais.

220 MADEMOISELLE DE LA TRINGLE *(de manière compulsive).* Impossible, c'est impossible, de toute façon, vous avez tout

oublié. Vous l'avez dit vous-même. Vous en avez tellement eu, de femmes, comment pourriez-vous vous souvenir de celle-ci plutôt que de celle-là? *(Presque hystérique.)* Personne ne se souvient de mon malheur, il n'est qu'à moi, le passé a été rendu au néant.

DON JUAN *(récitant, comme avec nostalgie).* C'était une source d'eau claire, à l'ombre fraîche des bosquets. Il y avait là une jeune fille qui chantait, entourée de jeunes garçons du voisinage. Ils étaient attirés par elle comme les cigognes le sont par les pays chauds. Mais elle, elle ne les voyait pas, elle attendait son prince avec une foi d'enfant, ainsi qu'on le voit dans les livres dont, déjà, elle abusait. Pourtant deux ou trois de ces garçons-là, à ses pieds, auraient volontiers donné leur vie pour l'amour de la belle, mais ils étaient trop prosaïques. Rendez-vous compte : un nez avec des narines, des mains avec des doigts, des jambes avec des pieds, ils mangeaient, ils dormaient la nuit, ils transpiraient parfois… les drôles d'hommes! Doit-on le dire? Je la vis, elle me plut. Il y avait là une âme d'élite, dans un des plus jolis corps qui soient, une proie inespérée. Mille fois j'ai craint de la froisser, de la voir s'envoler, son âme était fragile comme l'aile d'un papillon.

MADEMOISELLE DE LA TRINGLE *(douloureuse).* Ce n'est pas vrai. Don Juan, je ne suis pas celle-là. Qui le croirait? Regardez-moi. Ai-je pu être la plus belle? La plus jolie? Ai-je pu être gracieuse, moi qui me cogne à tous les meubles?

DON JUAN. C'est vous, Mademoiselle de la Tringle. Écririez-vous des romans aussi stupides si vous n'aviez pas été cette jeune fille-là?

MADEMOISELLE DE LA TRINGLE *(comiquement éplorée)*. Mes
romans ne sont pas stupides!

DON JUAN. Ils sont stupides, Mademoiselle de la Tringle, et
prétentieux. Je n'en ai personnellement jamais lu, mais quand
je vois les personnes qui les aiment, je sais qu'ils sont mauvais.

MADEMOISELLE DE LA TRINGLE *(fondant en larmes)*. Je vous
hais.

DON JUAN. Je me couvrais de toutes les mines de l'amant par-
fait, j'acceptais les foulards, les fleurs, les rubans en place des
baisers que je vous demandais. Patience mon cœur, patience.
C'était un siège. Et lorsque vous alliez crier famine, je portai
l'assaut : je demandai votre main. Naturellement je l'obtins.
Mais ce n'était pas encore ce que je voulais, ce que je voulais,
c'était que vous, la vertueuse, l'éthérée, la petite fille, l'assom-
mante précieuse, vous me donniez votre corps *avant* le
mariage! Et je l'eus.

MADEMOISELLE DE LA TRINGLE. Alors, vous aussi, vous vous
en souvenez. Oh Don Juan!…. *(Elle pleure d'émotion.)* Vous
vous rappelez tout. Revoyez-vous mon petit chien Cabon, la
pauvre bête, au pied de notre lit, qui avait…

DON JUAN. Non, pas du tout.

MADEMOISELLE DE LA TRINGLE. Mais si, il avait…

DON JUAN. N'insistez pas, sinon vous allez découvrir la
vérité.

MADEMOISELLE DE LA TRINGLE. Quelle vérité? Que dites-
vous?

DON JUAN. Allons, allons, vous allez être malheureuse!

MADEMOISELLE DE LA TRINGLE. Quelle vérité? Que dites-vous?

DON JUAN. Que je viens d'inventer cette fable à partir de votre physionomie, de vos lunettes et de vos airs revêches, et que je n'ai aucun souvenir de vous. Mais je devine les âmes d'après les figures. Aurais-je touché juste par hasard?

Mademoiselle de la Tringle fond en larmes.

LA DUCHESSE. Vous êtes ignoble.

DON JUAN. Merci.

LA COMTESSE. Effectivement, Don Juan, vous êtes très fort. Vous servez scrupuleusement à chacune d'entre nous ce qu'elle ne veut pas entendre, car vous savez que la haine est un ciment plus fort que l'amour. Mais vous êtes démasqué, Don Juan, nous déjouerons vos ruses. Parlez Duchesse.

LA DUCHESSE. Voici, Don Juan, cette soirée n'est pas un bal, quoique, visiblement, vous vous y amusiez beaucoup : c'est un procès.

DON JUAN *(amusé).* Un procès? Et le procès de qui?

LA DUCHESSE. Le vôtre.

DON JUAN *(riant).* Et le jury? le procureur?

LA DUCHESSE. Nous-mêmes.

DON JUAN *(bouffonnant).* C'est pour cela, sans doute, que vous êtes en robe. Mais les jupons sont de trop. Et le plaignant, la victime?

LA DUCHESSE. Les victimes sont trop nombreuses, et même serrées, elles ne tiendraient pas dans cette modeste demeure. Nous avons été forcées de choisir.

DON JUAN *(lui baisant galamment la main).* Madame la Duchesse, vous êtes délicieuse, personne ne sait recevoir comme vous, et je vous remercie de tout cœur.

LA DUCHESSE. Le procès aura lieu cette nuit.

DON JUAN. Exécution à l'aube?

LA DUCHESSE. L'exécution durera plus longtemps que vous ne le croyez.

DON JUAN. Un supplice?... J'adore.

LA COMTESSE. Crois-moi, dans quelques heures, tu riras moins.

DON JUAN *(à la Duchesse).* Et comme c'est gentil d'avoir fait venir spécialement des personnes si pittoresques. Comment faites-vous pour avoir d'aussi bonnes idées?

LA RELIGIEUSE. Misérable, le paon de la Duchesse est en train de mourir!

DON JUAN. Hi hi, celle-ci surtout est impayable. Vous avez eu raison de la déterrer.

LA DUCHESSE. Riez tout votre soûl, Don Juan, vous ne me ferez pas changer d'avis. *(Elle modifie brusquement son débit.)* La famille de Chiffreville, cela vous dit quelque chose? j'ai dit : Chiffreville. *(Don Juan cesse immédiatement de rire.)* Oh, il ne rit plus. *(Il pâlit.)* Il pâlit. *(Il s'assied fébrilement.)* Il s'assied fébrilement. *(Il passe nerveusement sa main tremblante sur son front.)* Il passe nerveusement sa main tremblante sur son front. Quel excellent comédien! Nous apprécions la performance, ces dames et moi, mais n'en faites pas trop, c'est inutile. La petite Angélique est là, au-dessus de nous. Depuis que vous l'avez

330 séduite puis abandonnée après avoir tué son frère en duel – oui, je sais le duel fut loyal et son frère a demandé, avant de mourir, qu'elle vous pardonne. Elle est malade, Don Juan, gravement malade, d'une maladie qui n'a pas de nom pour les médecins mais que nous, femmes, savons bien reconnaître : le désespoir
335 d'amour. Vous allez l'épouser.

LA COMTESSE. Et vous lui serez fidèle.

MADEMOISELLE DE LA TRINGLE. Et vous ne la quitterez pas.

LA RELIGIEUSE. Et vous lui ferez des enfants.

MADAME CASSIN *(lumineuse et triste)*. Et vous la rendrez heu-
340 reuse.

LA DUCHESSE. Sinon… sinon cette lettre de cachet fera son office. J'y inscrirai votre nom. Don Juan, vous aurez toute la police du royaume à vos trousses – vous savez qu'elle est bien faite –, et vous pourrez paisiblement finir vos jours à la Bastille.
345 LA COMTESSE. C'est le mariage ou la prison, ne balancez point.

MADEMOISELLE DE LA TRINGLE. Je doute qu'en ce donjon vous puissiez faire du charme à votre geôlier.

LA COMTESSE. À quelque souris peut-être, il paraît qu'il y
350 en a.

MADEMOISELLE DE LA TRINGLE. Mais non, il n'y a que des rats !

LA COMTESSE. Ou de la vermine !

MADEMOISELLE DE LA TRINGLE. En tout cas, le jupon vous
355 manquera.

LA RELIGIEUSE. Et le soleil.

MADAME CASSIN. Et la liberté.

LA RELIGIEUSE *(triomphante et chipie)*. Il ne vous restera que Dieu!

360 MADEMOISELLE DE LA TRINGLE. Vous lui demanderez votre pardon…

LA COMTESSE. …mais comme vous n'y croyez pas, Dieu va sûrement s'ennuyer.

LA DUCHESSE. Mesdames, voyons. *(À Don Juan.)* Il y aura
365 donc ce procès et vous épouserez la petite.

DON JUAN *(sortant de son silence)*. J'accepte.

LA DUCHESSE. Pardon?

DON JUAN. J'accepte. Je ferai ce que vous dites.

MADEMOISELLE DE LA TRINGLE. Vous l'épouserez?

370 DON JUAN. Oui.

MADAME CASSIN. Vous ne vous enfuirez pas?

DON JUAN. Non.

LA RELIGIEUSE. Mais…

DON JUAN. Tout. J'accepte tout. *(Il semble lutter contre une*
375 *émotion. Il tente de banaliser la situation.)* Mais je ne vois pas les rafraîchissements.

LA DUCHESSE *(par réflexe)*. Marion! Le champagne.

DON JUAN *(saisit une coupe et l'adresse élégamment à la Duchesse)*. Le verre du condamné.

380 *Son sourire se casse.*

Puis il se retire au fond de la scène pour boire, songeur.

Les femmes se précipitent au premier plan, autour de la Duchesse, et forment un quintette rapide, chuchotant avec étonnement.

385   LA RELIGIEUSE. Il consent!...

MADAME CASSIN. Sans discuter!...

LA RELIGIEUSE. C'est... c'est...

MADEMOISELLE DE LA TRINGLE. Incroyable.

LA DUCHESSE *(sombre)*. Oui, incroyable.

390   *Un temps.*

LA COMTESSE *(sortant de son silence)*. Duchesse?

Les femmes la regardent, pleines d'espoir.

LA DUCHESSE. Oui?

LA COMTESSE. Il ne serait pas réellement amoureux de cette

395 petite?

LA DUCHESSE *(riant, puis pensive)*. Non.

MADEMOISELLE DE LA TRINGLE *(idem)*. Non.

LA RELIGIEUSE *(idem)*. Non.

MADAME CASSIN *(idem)*. Non.

400   *Silence. On voit que l'idée fait son chemin.*

LA COMTESSE. À quoi ressemble-t-elle? *(La Duchesse hausse les épaules.)* Au physique?

LA DUCHESSE *(comme ennuyée)*. Ravissante. Blonde, le teint frais, de grands cheveux.

405   LA COMTESSE. Au moral?

LA DUCHESSE. Ravissante aussi. L'âme pure, le cœur bon, une grande intelligence.

LA COMTESSE. Son éducation?

LA DUCHESSE. Parfaite. Des usages, de la réserve, de la grâce.

410 LA COMTESSE. Et la fortune?

LA DUCHESSE. Plus qu'il n'en faut.

LA COMTESSE *(rassurée)*. Elle est donc totalement insignifiante.

LA DUCHESSE. Insignifiante, totalement. *(Elles sont toutes ras-*
415 *surées.)* Vous voyez, ce n'est pas cela…

*Pendant qu'elles chuchotent au premier plan, Don Juan a grif-
fonné un petit mot sur un papier. Il fait signe à Marion de s'approcher. Les femmes ne le voient pas.*

LA DUCHESSE. Certes… *(Inquiétude générale.)* Certes… elle a
420 vingt ans.

MADEMOISELLE DE LA TRINGLE. Et alors!

LA COMTESSE. Ce n'est pas la première!

MADAME CASSIN. Ni la dernière!

LA RELIGIEUSE. Il y en a d'autres!

425 LA DUCHESSE. Non, vous avez raison, ce n'est pas cela.

LA COMTESSE. Alors c'est une ruse! Une ruse de plus! Il est le
prince de la fausse promesse.

LA DUCHESSE. Non. C'est trop grossier. Trop simple. De plus
il connaît la police de Normandie : il ne peut pas s'échapper.
430 *(Sinistre.)* Mesdames, il faut nous y résoudre : nous allons bel et
bien gagner. *(Aucune d'elles ne semble vraiment s'en réjouir. Se
retournant.)* Don Juan?

*Juste avant que les femmes ne se retournent, Don Juan a donné
sa lettre à Marion, en lui glissant un mot à l'oreille.*

435 *Marion cache prestement le billet dans son corsage.*

LA DUCHESSE. Nous allons passer à côté, voulez-vous, pour ouvrir l'instruction.

DON JUAN *(trop aimable)*. Je vous précède ou je vous suis?

LA COMTESSE. Vous nous agacez, surtout.

440   *Don Juan passe devant, les femmes le suivent.*

SCÈNE 7

Les femmes et Don Juan viennent de passer dans la salle voisine mais la Duchesse a une pensée qui la retient.
Elle reste pensive un instant puis appelle Marion.

LA DUCHESSE. Marion.

5   MARION. Madame?

LA DUCHESSE. Réponds-moi sans crainte, ma fille, je veux la vérité. Lorsque tu as fait attendre Don Juan tout à l'heure, t'a-t-il fait du charme? A-t-il tenté de te séduire?

MARION. Non, Madame. Il s'est assis dans le coin le plus
10   sombre et il a attendu paisiblement.

LA DUCHESSE. J'entends bien. Mais il n'a pas eu un mot, un geste, un regard qui...

MARION. Non, Madame.

LA DUCHESSE. Marion, mets-toi là, recule. *(Elle la regarde.)*
15   Dis-moi, tu es jolie?

MARION *(rougissante)*. Les filles sont si laides.

LA DUCHESSE. On a l'habitude de te faire la cour?

MARION *(idem)*. Les hommes sont si bêtes.

LA DUCHESSE. Et lui n'a rien entrepris, rien promis?

20 MARION. Non, Madame.

LA DUCHESSE. Tout cela est étrange, fort étrange… *(Elle va passer dans la salle du procès.)* Apporte-nous des liqueurs, Marion, des liqueurs russes, des liqueurs qui réveillent… La nuit va être longue.

25 *Elle quitte la pièce.*

Dès qu'elle se retrouve seule, Marion sort le billet d'entre ses seins, le brandit en l'air et s'élance dans l'escalier en criant joyeusement :

MARION. Mademoiselle Angélique! Mademoiselle 30 Angélique!

Elle s'envole dans les marches.

Noir.

ACTE II

Le même lieu quelques heures plus tard. De rares bougies.

SCÈNE 1

Sganarelle se tient dans le salon tandis que les femmes instruisent le procès à côté. Assis en tailleur sur le sol, il fume sa pipe en regardant s'élever la fumée. De temps en temps, on entend des éclats de
5 *voix passant à travers les portes. On doit sentir que Sganarelle est dans une zone de calme relatif, aux franges d'un monde dangereux.*

Soudain, la Comtesse franchit violemment les portes de la salle du procès en poussant Don Juan devant elle, qui se laisse faire, plutôt amusé. La Religieuse, Mademoiselle de la Tringle et Madame
10 *Cassin poursuivent la Comtesse avec véhémence.*

LA COMTESSE *(passant les portes).* Mais non, je vous assure, il vaut mieux qu'il ne soit pas là.

LA RELIGIEUSE. Mais enfin pourquoi? Nous devons l'entendre.

15 LA COMTESSE. L'entendre? vous ne faites que le regarder. *(Elle se tourne vers Don Juan.)* Don Juan, je tiens à ce que nous fassions l'instruction sans vous, sinon nous n'y arriverons jamais. Dès que vous intervenez, ces dames, à qui vous avez déjà fait perdre leur vertu, perdent aussi toute objectivité.

20 MADAME CASSIN. Mais il a le droit de s'expliquer.

MADEMOISELLE DE LA TRINGLE. Je tiens absolument à recueillir intégralement sa déposition.

LA COMTESSE. Non, il parle trop bien, dès qu'il ouvre la bouche, il vous tient. Les femmes, c'est comme les lapins : ça
25 s'attrape par les oreilles. *(Les poussant comme des animaux.)* Allez, allez, on rentre! *(À Don Juan.)* Vous, attendez ici qu'on vous rappelle.

Elle les repousse dans la salle d'audience et referme les portes derrière elle, laissant Don Juan seul avec Sganarelle.

SCÈNE 2

Sganarelle n'a pas réagi à cette irruption. Don Juan se laisse tomber paresseusement dans un fauteuil auprès de lui.

DON JUAN. Que fais-tu Sganarelle?

SGANARELLE. Ma pipe rêve, Monsieur, elle envoie ses songes
5 au plafond et y dessine, pour qui sait lire, les traces confuses de notre avenir.

DON JUAN. Eh bien?

SGANARELLE *(à trop se concentrer sur les volutes de fumée, Sganarelle se met à loucher, et le voilà obligé de secouer violemment*
10 *la tête pour remettre ses yeux en place. Sentencieux).* L'avenir est agité, Monsieur.

DON JUAN *(amusé).* En effet, il y a des courants d'air.

SGANARELLE *(il fait des mines, joue celui qui observe, qui apprend des choses d'importance).* Oh… ah… tiens!… non?…
15 eh…

DON JUAN *(après un temps).* Tu ne t'ennuies jamais, Sganarelle?

SGANARELLE *(cessant brusquement)*. Comment pourrais-je?
Avec la vie que vous nous faites mener?

20   DON JUAN. Mais lorsque tu es seul?

SGANARELLE *(définitif)*. Je dors.

DON JUAN *(pour lui-même)*. Le sommeil… où va-t-on
lorsque l'on dort et d'où revient-on chaque matin, l'œil gonflé
et le cheveu tordu, plus fatigué qu'avant le repos? Je ne sais pas

25 ce que je hais le plus du sommeil ou de la veille… Le sommeil
parce que je m'y absente… ou la veille parce que je m'y rencontre… Se retrouver perpétuellement en compagnie de soi,
avec les mêmes désirs, les mêmes limites, mais sans cesser de se
demander qui l'on est… Car on ne se quitte pas même si l'on

30 s'ignore… *(Brusquement, à Sganarelle.)* Ne te demandes-tu
jamais qui tu es, Sganarelle?

SGANARELLE *(riant)*. Qui je suis? Alors là, Monsieur, vous me
faites rire… Qui je suis? Mais je suis aux premières loges pour
le savoir…

35   DON JUAN *(sarcastique)*. Eh bien qui es-tu? je t'écoute.

SGANARELLE. Je suis moi, et cela me va bien, car quand je
m'examine, je me trouve toutes les raisons de m'apprécier. La
nature a parfois donné plus de finesse à un visage et plus d'élé-
gance au corps, mais elle m'a donné à moi une physionomie

40 qui inspire la confiance et un physique qui donne de l'attachement. Quant à l'intelligence, j'en sais plus qu'il n'en faut pour
être valet, mais point trop pour souffrir de ma condition.
Aucun des mystères de l'humanité ne m'est totalement

inconnu, et cependant je ne donne pas dans l'obscur et dans
45 l'impénétrable comme vous : lorsque ma tête a bien travaillé, je
la repose, je ne la soumets pas à des exercices trop intensifs qui
risqueraient de la déranger plus que de la satisfaire.

DON JUAN. En somme, tout va bien ?

SGANARELLE. On ne peut mieux.

50 DON JUAN. Alors, Sganarelle, je ne comprends pas. Pourquoi
attaches-tu tes pas à un maître aussi mauvais, le plus grand scélérat que la terre ait porté, un enragé, un chien, un diable, un
Turc, un hérétique ?

SGANARELLE. Le ciel m'a mis sur votre route pour vous don-
55 ner un peu de raison.

DON JUAN. Ce sera donc le seul cadeau qu'il m'a fait.

SGANARELLE. Ce n'est pas négligeable. Une conscience[1] droite
et intègre à côté de soi, c'est utile. Mais quand, de surcroît, ce
n'est pas la sienne et qu'on peut la faire taire d'un coup de pied –
60 ainsi que vous le faites souvent, mon maître –, c'est très pratique.

DON JUAN. Conscience droite ? Tu me fais rire, Sganarelle. Tu
me parais singulièrement complaisant pour le mal que je fais.
Non seulement tu ne le préviens pas mais, après t'en être repu,
tu le consignes sur ton carnet…

65 SGANARELLE. Mon carnet ? Quel carnet ? Fouillez-moi, je n'ai
pas de carnet.

DON JUAN. Ne nie pas, on m'en a parlé. Car tu en donnes des

---

1. Mot abstrait désignant la faculté de sentir et d'apprécier, de juger la valeur morale de ses propres actes.

lectures. En procurant un tel écho à mes exploits, tu en as fait plus pour ma réputation que moi-même. Tu me sers, Sganarelle, davantage qu'un simple valet. Le nieras-tu?

SGANARELLE *(riant).* Sans doute ai-je moi aussi des replis à mon âme… Vous me trouvez ravi de constater que je suis plus complexe que je ne le croyais moi-même. Voyez comme on peut être superficiel.

DON JUAN *(riant aussi).* En fait, tu ne sais pas qui tu es, mais tu t'aimes. Voilà la vérité. Tu t'aimes, qui que tu sois.

SGANARELLE. Et où serait l'utilité d'être l'ennemi de soi-même? Quel est le gain?

DON JUAN *(sombre).* Nul. Mais on ne choisit pas.

SGANARELLE. J'ai donc raison. Décidément mon maître, il fait toujours bon discuter avec vous car ce n'est pas dans les cuisines ou les écuries que je peux dégoter des partenaires à ma hauteur. Mais maintenant Monsieur, il faut que je reprenne mes exercices. Nos bavardages font fuir les anges.

Il reprend ses mimiques d'oracle[1] étonné.

DON JUAN *(qui tient visiblement à échapper à ses pensées).* Que vois-tu, Sganarelle?

SGANARELLE. Je vois des femmes. Plein de femmes qui sont surprises. Et puis je vous vois seul. Et moi aussi. Chacun de son côté.

DON JUAN. Alors ta fumée se trompe. Elle ne sait pas que je vais me marier? Prendre ma retraite de séducteur?

---

1. Dans l'Antiquité, c'était la réponse donnée par la divinité à qui la consultait. L'oracle prononcé était souvent ambigu et sujet à malentendus.

SGANARELLE. Ma fumée n'y croit pas.

DON JUAN. Et toi?

95 SGANARELLE. Oh moi!…

DON JUAN. À ton avis?…

SGANARELLE. Je le crains.

DON JUAN. Tu l'espères?

SGANARELLE. Je le crains.

100 DON JUAN. Tu ne penses pas à une ruse?

SGANARELLE. C'est la première idée qui m'est venue, mais lorsque l'on vous connaît, on sait que la première idée n'est jamais la bonne. Vous l'épouserez.

DON JUAN. Tu devrais être content.

105 SGANARELLE. Sans doute.

DON JUAN. Eh bien?

SGANARELLE. Bah…

DON JUAN. Alors?

SGANARELLE. Ça ne me vient pas. Certes, je l'ai toujours sou-
110 haité, et prévu même, je me disais *jeunesse passera, le vice se dévissera, l'impie ne peut devenir pis,* et d'autres phrases dignes d'être gravées sur une assiette… Enfin vous épousez cette petite, et je reste inquiet. Je me demande si c'est bien elle que vous épousez…

115 DON JUAN. Et qui d'autre?

SGANARELLE. Voyez-vous, cela fait quelques semaines que je me demandais si vous n'alliez pas finir par épouser quelqu'une; c'était comme un vent nuptial qui soufflait sur nous. Bon, le

choix s'arrête sur elle. Mais je crois que ce n'est pas *cette*[1]
120 femme que vous épousez. Vous faites *un*[1] mariage.

DON JUAN. Tu délires Sganarelle.

SGANARELLE. Je ne crois pas. Quand je délire, vous riez.

DON JUAN *(sombre)*. J'ai mes raisons de l'épouser.

SGANARELLE. Allons, Monsieur, ne jouez pas la comédie,
125 vous savez très bien que depuis plusieurs mois, Don Juan n'est
plus Don Juan.

DON JUAN. Tais-toi, tu m'ennuies.

SGANARELLE. Vous me souffrirez jusqu'au bout. Je suis là
pour cela, votre conscience, puisque Dieu a oublié de vous en
130 donner une à votre naissance. Voyons, vous savez très bien que
depuis plusieurs mois, je n'ai pas inscrit un seul nouveau nom
sur mon carnet.

DON JUAN. Tiens, tu avoues son existence.

SGANARELLE. Je le peux puisqu'il n'a plus d'office[2]. Aucun
135 nouveau nom, vous dis-je : le libertinage[3] a cessé, la vertu
règne, Don Juan sommeille.

DON JUAN. Les femmes de France ne me plaisent guère.

SGANARELLE. Est-ce que cela vous a jamais empêché de les
conquérir autrefois ? Combien en ai-je vu de laides, de poilues,
140 d'édentées, de ces rebuts de féminité dont la vue seule aurait
calmé les ardeurs d'un puceau de dix-huit ans, mais vous, rien
ne vous arrêtait lorsqu'il y avait du mal à faire.

---

1. L'italique que la diction doit souligner suscite un effet d'attente chez le spectateur.
2. Fonction, rôle (voir le sens concret du mot p. 16).
3. Mode de vie qui s'est développé surtout au XVIIIe siècle. Ses deux formes possibles sont la liberté de pensée et la liberté des mœurs.

DON JUAN. Tu exagères, Sganarelle, ces derniers temps, il y a eu la petite Guérin, la Dumeslée, la Champétrie, et cette ser-
145 vante de l'auberge des Trois Renards qui…

SGANARELLE. Erreur, Monsieur, erreur! Vous avez fait croire que vous les possédiez quand il n'en était rien. Je suis un historien sérieux, moi, je me renseigne. Vous n'êtes pas venu à bout de ces dames, et cela, non pas parce qu'elles vous résistèrent (au
150 contraire, vous ne choisîtes jamais proies plus faciles) mais parce que vous vous êtes dérobé au dernier moment, oui, parfaitement, dérobé. Il y en a même une qui s'en est plainte à moi. Elles sont toutes persuadées d'être fort laides et de sentir mauvais, les pauvres créatures. C'est le monde à l'envers.

155 DON JUAN. Mais…

SGANARELLE. Alors je pose la question que vous aimez tant vous-même, mon maître : pourquoi? Pourquoi fuir? Et pourquoi faire semblant de continuer comme avant? Pourquoi faire croire ce qui n'est plus? Et à moi? Don Juan donnant le
160 change[1] à son valet, on aura vraiment tout vu!

DON JUAN. Tais-toi! N'entends-tu pas ce bruit? *(Sganarelle jette un coup d'œil.)* C'est elle? Elle a reçu mon mot?

SGANARELLE. Oui, c'est Madame votre repos qui arrive.

DON JUAN. Disparais… Vite…

165 *Sganarelle sort. Don Juan reste seul un instant.*

---

1. Trompant, faisant prendre une chose pour une autre.

SCÈNE 3

La Petite entre et reste près du seuil. Elle est pieds nus, en che-
mise de nuit. Don Juan demeure face au public.

LA PETITE. Don Juan?

DON JUAN. Oui.

5   *Il va pour se retourner.*

LA PETITE. Non, surtout, ne vous retournez pas! Restez où
vous êtes. Je... je suis en chemise.

DON JUAN. Cela ne me fait pas peur.

Il veut se tourner de nouveau.

10 LA PETITE. Non, restez où vous êtes! Ne bougez plus. Là.
Vous ne devez pas me voir. J'ai maigri. J'ai pâli.

DON JUAN *(patient, amusé)*. Combien de temps dois-je
attendre? Comptez-vous brunir et vous remplumer dans les
minutes qui suivent?

15 LA PETITE *(un temps)*. Don Juan?

DON JUAN. Oui.

LA PETITE. Vous êtes Orphée, je suis Eurydice[1], vous êtes
venu m'arracher des enfers où je me trouvais morte. Et je renais
maintenant. Nous remontons vers la lumière. Laissez-moi
20 m'habituer. Nous approchons de la surface.

DON JUAN. C'est cela, soyons superficiels, nous serons plus à
l'aise. Et si je me retourne?

---

1. Mythe grec, antérieur à Homère, de l'amant éploré allant jusque dans les Enfers à la recherche
de sa bien-aimée. N'ayant pas obéi à la condition imposée par les dieux de ne pas se retourner
avant d'arriver au jour, Orphée perdit définitivement Eurydice.

LA PETITE. S'il vous plaît! Si vous vous retournez, je mourrai une seconde fois, mais pour de bon cette fois-ci, et nous ne
25 pourrons plus nous aimer.

DON JUAN. Soit. Mais devons-nous nous aimer de dos?

LA PETITE. Votre dos… Il est moins droit qu'avant, plus indécis… vous aussi, vous avez souffert. Comme votre dos me dit de choses!

30 DON JUAN. Alors, c'est que mon dos parle dans mon dos, je ne suis pas d'accord.

Il se retourne brusquement.

LA PETITE *(crie en se cachant le visage).* Je suis affreuse.

DON JUAN. Si c'était vrai, vous ne le diriez pas. *(Un court*
35 *temps.)* Laissez-vous regarder… Non, vous n'êtes pas affreuse. Pas plus que la dernière fois.

LA PETITE *(simplement).* C'est gentil. *(Il se détourne d'elle. Un temps.)* Don Juan?

DON JUAN. Oui.

40 LA PETITE. C'est bien vous?

DON JUAN. Auriez-vous aussi perdu la vue ces derniers temps? C'était donc très éprouvant, dites-moi, ce séjour aux Enfers? *(Un temps.)* Pourtant je me ressemble. Surtout de dos.

LA PETITE. Lequel? À quel Don Juan ai-je affaire… celui qui
45 m'a aimée ou celui qui m'a quittée?

DON JUAN. C'est le même. Femelles! Femelles!… Cette mauvaise foi qui est le fumet de vos égoïsmes!… Quelqu'un vous flatte et prétend vous aimer? Il est dans le vrai! Il vous délaisse, il part, il ne vous aime plus? C'est qu'il se trompe! *(Presque*

50 *menaçant.)* Il ne te viendrait pas à l'idée qu'un séducteur cherche quelque chose qu'il a définitivement obtenu une fois que tu t'es bêtement laissé séduire ? Il n'y a pas de raison de rester : la viande est morte !

LA PETITE. S'il a recommencé ailleurs, s'il erre sans cesse en se 55 cognant de femme en femme, c'est qu'il ne trouve pas ce qu'il cherche, parce qu'il ne sait même pas qu'il le cherche.

DON JUAN. Et que chercherait-il qu'il ne trouverait donc pas ?

LA PETITE. Cette question !… L'amour, bien sûr.

DON JUAN. Voilà, le mot est prononcé, tu as tout dit : 60 l'amour ! Pauvre fille, à soixante ans tu diras « Dieu » comme tu as dit « l'amour » à vingt, avec les mêmes yeux, avec la même foi, le même enthousiasme. C'est bien une femme qui parle.

LA PETITE *(lui tenant tête)*. Et c'est bien un homme qui raille ! Reconnaître qu'on a un cœur, un cœur insatisfait, un cœur 65 brisé : quel déshonneur ! Comme si le fait de pisser debout était incompatible avec les sentiments !

DON JUAN. C'est récent, cette conversion[1] en donneuse de leçons ? Effet secondaire de la maladie ?

LA PETITE. La maladie, quelle maladie ?

70 DON JUAN. On m'aura mal renseigné ? Il paraît que vous étiez fiévreuse, agonisante…

LA PETITE. Ce n'était pas de la maladie, c'était du bon sens. Je n'avais plus aucune raison de vivre.

---

1. Terme à connotations religieuses employé ironiquement par Don Juan.

DON JUAN. Il fallait vous donner énergiquement la mort.
75 C'est plus efficace que de périr à petit feu.

LA PETITE. Je ne m'intéresse pas suffisamment à moi pour me donner la mort. *(Elle se jette subitement contre lui, et l'enserre dans ses bras.)* Oh Don Juan… C'est vous, c'est bien vous… *(Elle chancelle contre lui.)* Vous êtes venu…

80 *Don Juan la laisse faire.*

DON JUAN *(la regardant comme avec tendresse).* C'est amusant…

LA PETITE. Oui?

DON JUAN. Il y a quelque chose de viril dans vos yeux.
85 Comme votre frère.

Pendant qu'ils se tiennent, la Duchesse passe la tête dans la pièce et les voit sans être vue d'eux. Elle traverse silencieusement le fond de la scène et disparaît.

LA PETITE *(joyeuse, presque babillarde).* Oh, Don Juan, la
90 Duchesse m'a bien fait la leçon, mais je n'y tiens plus. Dites, est-ce vrai que nous allons nous marier?

DON JUAN *(riant).* Vous faites bien de m'épargner la demande en mariage. J'en ai tellement fait. De fausses.

LA PETITE. Celle-ci est donc bien vraie?

95 DON JUAN. C'est une vraie.

LA PETITE. Vous ne partirez plus?

DON JUAN *(étrangement calme).* Je ne partirai plus.

LA PETITE. Ah Don Juan!… *(Très vite emportée.)* J'ai tout pensé quand tu n'étais pas là. Tu m'avais dit : «Je reviendrai»,

100 et je t'ai cru d'abord, puis j'ai douté, puis j'ai pensé mourir, et te tromper, et me venger, mais l'espérance revenait, bien plus violente encore que la douleur, et je recommençais à croire. Tu vois, je ne sais pas attendre, c'était cela, ma maladie. *(Le regardant.)* Je n'avais donc pas tort de penser que vous m'aimiez.

105 DON JUAN. Ne dites pas de sottises. Je ne vous aime pas le moins du monde. Je me marie avec vous, c'est bien assez.

LA PETITE *(reculant)*. Vous...

DON JUAN. Non.

LA PETITE. On n'épouse pas quand on n'aime pas.

110 DON JUAN. Si.

LA PETITE. Pas Don Juan!

DON JUAN. Surtout Don Juan! Ah, mais j'oubliais, vous êtes érudite en ma personne, vous savez mieux que moi ce que je suis, ce que je fais et ce qui doit m'arriver : c'est vous l'auteur[1].

115 Allons, croyez-le donc, puisque cela vous fait plaisir : Don Juan est amoureux, voilà! Je vais tâcher d'y croire aussi. Entre époux, il faut se faire confiance... Mais vous êtes bien pâle...

LA PETITE *(sous le choc)*. Tu ne m'aimes pas.

DON JUAN. Mais si, puisque vous l'avez dit.

120 LA PETITE. Tu m'épouses sans m'aimer?

DON JUAN *(dur)*. Si cela était, qu'est-ce que cela changerait?

LA PETITE. Mais si vous ne m'aimez pas, moi... Je refuse de me marier avec vous, puis je me tue.

DON JUAN *(riant)*. Allons, allons, est-ce que je fais des his-

---

1. C'est lui qui crée ses personnages et les anime comme il veut au cours de sa création littéraire.

125 toires, moi? *(Mettant son doigt sur la bouche, comme un adulte
parle à un enfant.)* Je vais vous dire pourquoi il faut absolument
vous marier avec moi. *(Désignant un jury invisible.)* Si vous
n'acceptez pas, elles vont vous faire un procès. *(Angélique ne
comprend pas.)* Si, si! Elles sont terribles! Le mien a lieu cette
130 nuit. Mais la cause est entendue : je suis coupable. Et savez-
vous quelle est ma peine? C'est vous. Je m'en tire bien encore,
cela pourrait être plus pénible.

LA PETITE. Un procès, une punition, qu'est-ce que vous
racontez? Ma marraine…

135 DON JUAN. Votre marraine, malheureuse, est une femme
redoutable. Son chantage est précis : c'est vous ou la Bastille.
(Un temps, mielleux.) Mais elle ne vous l'a pas dit? Non? Alors
vous croyiez que… oh, pauvre petite! Non vraiment, le procédé est scandaleux.

140 LA PETITE. Mais… elle m'a dit que vous m'épousiez sans discuter…

DON JUAN *(gêné).* C'était inutile, je calcule vite.

LA PETITE. Pourquoi avoir accepté? Pour gagner du temps
avant de fuir?

145 DON JUAN. Je ne fuirai pas.

LA PETITE. Pourquoi?

DON JUAN. Qu'est-ce que cela peut vous faire? Le résultat est
là : je vous épouse. Seuls comptent les faits, non?

LA PETITE. Pas les faits, Don Juan, les sentiments! Pourquoi?

150 *(Ayant une inspiration subite, elle recule, horrifiée.)* Don Juan,
j'ai compris votre jeu! Vous avez fait mine d'accepter pour être

quitte envers ces femmes, et maintenant vous tâchez de vous rendre odieux à mes yeux afin que ce soit moi qui vous refuse. Bien manœuvré : le mariage échouerait par ma faute, non par la vôtre. Bravo! *(Elle est terrassée par la douleur.)* Pourquoi me refaire le mal que vous m'avez déjà fait? Que cherchez-vous?

DON JUAN. Pourquoi vous êtes-vous mis en tête que je cherchais quelque chose? Je ne cherche rien, je prends, je cueille les pommes sur l'arbre et je les croque. Et puis je recommence parce que j'ai faim. Vous appelez ça une quête? Je dois avoir trop d'appétit pour vous : ma bouche a voulu goûter tous les fruits, toutes les bouches, et diverses, et variées, des dodues, des humides, des tendres, des fermées, des ouvertes, la bouche étroite de la prude, les lèvres rentrées de la sensuelle, la lippe épatée de l'adolescente, j'ai tout voulu. Les hommes m'envient, petite, parce que je fais ce qu'ils n'osent pas faire, et les femmes m'en veulent de ce que je leur donne du plaisir à toutes. À toutes!

LA PETITE. Sornettes! Les hommes vous haïssent parce que vous volez leurs épouses ou leurs sœurs, et les femmes parce que vous les abandonnez après leur avoir fait les plus douces promesses. Ni un saint, ni un héros, Don Juan, ne vous leurrez pas, mais un escroc, un petit escroc de l'amour.

DON JUAN. Sornettes à votre tour! Vous avez tous peur du plaisir, mais vous avez raison d'avoir peur : les forts seulement peuvent se l'autoriser. Imaginez ce qui se passerait si l'on disait au monde entier : «Posez vos pioches et vos aiguilles! Notre monnaie c'est le plaisir; prenez-le, ici, et sans vergogne, ici,

maintenant, et encore et encore!» Que se passerait-il? Plus personne pour travailler, pour suer, pour se battre. Des hommes
inactifs, vaquant à leurs seuls plaisirs. Plus d'enfants légitimes
ou illégitimes, mais une joyeuse marmaille avec trente-six mères
et cent vingt pères! Plus de propriété, plus d'héritage, plus de
transmission des biens ou des privilèges par le sang, car le sang
désormais est brouillé, il coule partout, et le sperme aussi. La
vie comme un joyeux bordel, mais sans clients, sans maque-
relles, avec rien que des filles! Vous imaginez la pagaille? Et
l'industrie? Et le commerce? Et la famille? Et les fortunes? Il
n'y aurait plus de pauvres, car la richesse ne serait plus d'argent,
mais de plaisir, et tout homme est suffisamment bien doté pour
connaître le plaisir. *(Concluant.)* Alors, petite, ne me sers pas ces
discours que j'ai entendus cent mille fois, ces histoires de quête,
de recherche… On ne cherche que si l'on n'a pas trouvé! C'est
le frustré[1] qui cherche, l'heureux s'arrête. Et moi j'obtiens
constamment ce que je veux des autres : mon plaisir!

LA PETITE. Les êtres humains ne sont pas des pommes que
l'on cueille sur la branche. Quand on les croque, ça leur fait
mal. Si vous étiez fidèle…

DON JUAN. Fidèle! La liberté dans une petite cage : on
appelle cela la fidélité.

LA PETITE. Votre liberté! Votre droit de trahir, oui!

DON JUAN. Trahison! trahison! Vous avez toutes cette écume
à la bouche. Mais c'est vous, femmes, qui vous montrez les plus

---

1. Qui éprouve un sentiment de privation à propos de ce qu'il ressentait comme un dû.

fausses. Il faut que l'on vous jure des engagements éternels pour
205 que vous nous rendiez cinq minutes de plaisir. Or ce n'est
qu'un code, tout le monde le sait : des paroles pour quelques
actes. Il n'y a pas de traîtrise, il y a marché : le traître, c'est celui
qui fait semblant de l'ignorer.

LA PETITE *(exaspérée)*. Vous souillez tout, Don Juan, les
210 femmes, les mots! Vous n'êtes bon que pour le mal.

DON JUAN. Pourquoi m'aimez-vous donc? Vous auriez pu
mieux choisir, vous qui êtes si *«bonne»*, si *«gentille»*…

LA PETITE *(butée et mauvaise subitement)*. Je ne suis ni bonne
ni gentille. Et je ne l'ai jamais été.

215 DON JUAN *(amusé)*. Allons, petite, tu n'es qu'une enfant.

LA PETITE *(l'affrontant)*. Justement, vous devez savoir quel est
le caractère dominant des enfants. L'égoïsme. *(Avec hargne.)* Et
si, moi aussi, j'étais comme vous? Et si, moi aussi, j'aimais la
conquête? Croyez-vous qu'il n'y a que les hommes pour collec-
220 tionner les lauriers? Imaginez, Don Juan, y a-t-il plus bel
exploit que d'être celle qui vous retient? Oh certes, je pourrais,
comme vous, m'épuiser à courir les hommes pour tous les pos-
séder, mais c'est vain, je préfère une belle prise à une poignée de
petits goujons. Rendez-vous compte : Don Juan, l'homme qui
225 abandonne toutes les femmes, et je le retiendrais, moi! Vous
serez mon triomphe, Don Juan, mon porte-enseigne. On dira
partout : «C'est celle qui a rendu Don Juan à l'état de mari!»
Quelle publicité! *(Ravie.)* On me détestera, car il n'y a pas de
vrai succès sans haine.

230 DON JUAN *(ricanant)*. Et vos épées, pour me vaincre, auront été les larmes, la maladie, les gémissements, l'attente?

LA PETITE. Chacun ses armes, chacun son plan, moi j'ai ma stratégie! Voulez-vous que je fasse sonner les clairons et tonner le canon? Je ne vais pas prendre les armes des hommes si je veux
235 gagner en femme. Vous connaissez mal ma marraine lorsque vous la décrivez forte, redoutable… C'est une vieille dame aimable, et sentimentale, et qui a effectivement une qualité précieuse : croire aisément que des idées qui lui ont été soufflées par d'autres viennent d'elle. Elle est – comment dit-on? –
240 influençable et énergique, telle est ma marraine.

DON JUAN. Qu'est-ce que vous racontez?

LA PETITE. Je raconte, Don Juan, qu'il m'a été facile, simulant la maladie et le délire, de lui glisser dans la tête quelques idées de vengeance, qu'elle a su parfaitement mettre au point et réa-
245 liser, rendons-lui ce mérite. Mais un grand chef n'est-il pas d'abord celui qui sait être obéi? *(Très sèchement.)* D'ailleurs, vous avez tort de railler ma tactique, elle est efficace : vous m'épousez. *(Un temps, insistante.)* Car vous m'épousez, c'est bien cela?

250 DON JUAN *(troublé)*. Oui.

LA PETITE *(dure)*. Voyez, je vous ai fait officiellement ma demande, tout est dans l'ordre.

DON JUAN. Tu essaies de te faire plus forte que tu n'es.

LA PETITE. Oh, je vous vois venir avec votre gros orgueil
255 d'homme. «Les femmes sont faibles.» Erreur, Don Juan, la fai-

blesse est justement la plus puissante de leurs ressources. C'est
une arme invisible qu'aucun homme ne suspecte. Vous êtes tellement grossiers.

DON JUAN. Tu expliques trop : c'est que tu mens.

260   LA PETITE. Tu m'épouses, Don Juan! Et moi, qu'est-ce que je
fais après? Je pars au petit matin en te laissant un mot : « Merci,
j'ai mieux à faire ailleurs. » Et tu me retrouves l'après-midi
même dans les bras d'un palefrenier. Tromper Don Juan après
l'avoir abaissé au rang de mari, est-ce que cela ne serait pas une
265   seconde victoire?

DON JUAN. Cela serait une victoire si ta conduite me faisait
souffrir. Mais tes coucheries ou tes départs ne me feront aucun
effet. Tu resteras libre.

LA PETITE (déconcertée). Quoi?

270   DON JUAN. Faisons un pacte, veux-tu, en plus du contrat de
mariage où je doute qu'un tel article soit mentionné : tu auras
le droit de coucher avec qui tu veux, cela ne me regarde pas, je
ne te dirai jamais rien.

LA PETITE (ricanant). Je vois. Vous voulez m'extorquer la
275   même promesse en échange.

DON JUAN. Pas du tout. Moi, de mon côté, je m'engage à ne
jamais coucher avec une autre femme que toi.

LA PETITE. Absurde! Vous ne serez pas jaloux?

DON JUAN. Ce n'est pas dans mon caractère.

280   LA PETITE. Vous serez déshonoré. Toute l'Europe le saura!

DON JUAN. Si je croyais encore à l'honneur, je ne le placerais
pas dans la culotte d'une femme. (Léger temps. Il regarde la petite

qui semble subitement défaite.) Mais quoi? Vous déchantez? En étant un mari complaisant, je vous ôte votre réussite? Je suis
285 désolé : je ne partirai pas; je ne vous tromperai pas; je ne laisserai prise à aucun ragot. Tout le monde va croire que nous faisons un mariage d'amour.

LA PETITE *(désespérée, cessant de jouer)*. Je vous hais! Je vous hais!

290 DON JUAN *(narquois)*. Allons, allons, général, j'ai peur que vous n'ayez plus d'ambition que de moyens.

LA PETITE *(pleurant, à bout de résistance)*. Oh, Don Juan, pourquoi? Pourquoi me promettre mariage et fidélité sans m'aimer? Pourquoi?

295 DON JUAN *(mélancolique)*. Disons que c'est pour faire une fin. Le plaisir me lasse, la conquête aussi. Je n'ai connu que le plaisir. Peut-être que le bonheur est bon, lui aussi. La douceur d'un fruit qui pourrit lentement…

LA PETITE *(hurlant, au plus profond de la douleur)*. Alors par-
300 tez!

Elle se met à sangloter.

DON JUAN *(brusquement ému)*. Ne pleure pas.

LA PETITE *(courageuse et pitoyable)*. Laissez, je n'ai pas de chagrin, ce n'est pas mon âme qui pleure, ce sont mes yeux… seu-
305 lement mes yeux…

DON JUAN *(la regardant étrangement)*. Vous m'aimez donc.

LA PETITE. Oui, Don Juan, je vous aime, et je le regrette aujourd'hui, et je l'ai regretté maintes fois, parce que cet amour me rend malheureuse et qu'il ne cesse pas pour autant.

310 DON JUAN. Mais pourtant…

LA PETITE. Est-ce que vous avez, vous, le pouvoir de m'aimer alors que vous ne m'aimez pas? Eh bien moi, je n'ai pas celui de ne plus vous aimer. Cela ne se commande pas. *(Un temps.)* Mon espoir…

315 DON JUAN. Oui?

LA PETITE. Mon espoir… je pensais que vous m'aimiez sans vous en rendre compte… que vous ne consentiez pas…

DON JUAN *(gentiment)*. Expliquez-moi.

LA PETITE *(que cela rend un peu heureuse de parler)*. Voyez-
320 vous, j'ai tout de suite reconnu votre caractère, Don Juan, vous êtes celui qui fait le mal par peur d'en recevoir. Pour vous, aimer, ce serait toujours trop aimer… Alors je pensais que vous aviez peut-être peur de moi.

DON JUAN *(gentiment)*. Peur d'une petite fille?

325 LA PETITE. Vous m'appelez «petite fille» mais j'en sais bien plus long que vous sur le cœur humain. Dans mon malheur, j'ai pris de l'avance.

DON JUAN. Ton cœur n'a pas connu ce qu'a connu le mien.

LA PETITE. Votre cœur? Il est muselé depuis si longtemps. Si
330 l'on défaisait les lanières, il ne parlerait pas, il hurlerait de dou-leur.

DON JUAN. Alors mieux vaut peut-être le laisser ainsi.

LA PETITE. Les sangles lui entrent dans les chairs, il saigne quand même. C'est une longue agonie, Don Juan.

335 DON JUAN *(étrangement sincère)*. Je le sais.

LA PETITE. Moi, j'ai les doigts fins et le toucher délicat, je saurai le délivrer. *(Comme une enfant.)* Mais il faudrait me faire croire un peu que vous m'aimez, sinon je ne ferai rien.

DON JUAN. Voyons petite, comment pourrais-je savoir que je
340 t'aime lorsque j'ignore ce qu'est l'amour?

LA PETITE. L'amour, il n'est pas besoin de le connaître pour le reconnaître. *(Subitement lumineuse.)* Avez-vous déjà vu des poissons?

DON JUAN. Oui.

345 LA PETITE. Et des oiseaux?

DON JUAN. Oui.

LA PETITE. Celui que vous aimez vous apparaît comme un poisson dans l'eau ou un oiseau dans l'air. Il a passé un pacte avec la terre : il ne se déplace pas, il glisse ; il ne se couche pas,
350 il s'allonge. C'est un ondin sur la terre même.

DON JUAN. Et puis?

LA PETITE. Il a passé un autre contrat, plus important celui-là, avec tout l'univers. Ils se sont entendus pour que l'univers lui montre toujours ce qu'il y a de plus beau ; et que lui, de son
355 côté, sache en faire admirer la splendeur. Quand vous êtes auprès de lui, vous en profitez, c'est une fête perpétuelle : le soleil n'est jamais trop chaud, la pluie jamais trop froide, les jardins sentent toujours bon, les bancs de pierre sont doux. La nature l'aime et le câline.

360 DON JUAN. Et puis?

LA PETITE. Il n'a pas un visage comme les autres. Là aussi il y a un mystère. Les figures que l'on n'aime pas, Don Juan, on sait en quoi elles sont faites, on voit l'architecture d'os et de carti-

lages qui sous-tend le poil et la peau, il y a des plis, des rou-
365 geurs, des tombées flasques, des comédons vainqueurs, c'est
assez répugnant. Mais le sien n'est pas de cette eau-là, il n'est
d'aucune matière, jamais il n'est rendu à la chair ou à la terre,
il doit être fait en rêve.

DON JUAN. Et puis ?

370   LA PETITE. Vous vous sentez toujours malade, laid, fatigué
avant de le voir, et plein de vie dès qu'il est là. C'est un matin.

DON JUAN. Et puis ?

LA PETITE. Toutes les horloges se détraquent : elles traînent
quand on l'attend et courent quand il est là.

375   DON JUAN. Et puis ?

LA PETITE. Vous vivez tout en double. Une fois pour vous,
une fois pour lui, pour le lui raconter. Vous devenez poète.

DON JUAN. Et puis ?

LA PETITE. Vous n'êtes plus seul, désormais. Quelque chose
380 vous attache à la vie, comme le cordon qui vous liait à votre
mère avant ce monde. Il n'y aura plus d'indépendance. Vous
êtes esclave. Vous ne vous appartenez plus. Mais ces chaînes
vous libèrent.

DON JUAN. Et puis ?

385   LA PETITE. Les questions cessent.

DON JUAN. Et puis ?

LA PETITE. Et puis, il n'y a plus de « et puis », justement. Plus
d'espoir, plus de nostalgie, tout est en ordre. Il est là. C'est une
foi.

390   DON JUAN. C'est comme croire en Dieu, en quelque sorte ?

LA PETITE. C'est croire en Dieu. Car c'est cela que j'appelle Dieu. Un monde gorgé de sens et de chaleur.

DON JUAN. Vous êtes un bon professeur.

LA PETITE *(timide)*. Tout mon savoir me vient de vous. *(Un* 395 *temps.)* Avez-vous déjà senti cela, Don Juan ?

DON JUAN *(grave)*. Oui. *(Elle va pour se jeter dans ses bras.)* Si tu me touches, je ne dirai plus rien.

LA PETITE. Vous avez senti cela pour une autre que moi ?

DON JUAN. Quelle question, petite… C'était ta vraie ressem-400 blance.

LA PETITE. En ce pays ?

DON JUAN. En ce pays.

LA PETITE. Sur cette terre ?

DON JUAN *(levant curieusement les yeux au ciel)*. Sur cette terre.

405 LA PETITE. Il y a quelques mois de cela ?

DON JUAN. Il y a quelques mois de cela.

LA PETITE. Combien ?

DON JUAN. Cinq mois et vingt-huit jours.

LA PETITE. Nous nous connaissons depuis cinq mois et vingt-410 huit jours.

DON JUAN *(tristement)*. Ah, toi aussi, tu as compté ?

LA PETITE *(heureuse)*. Moi aussi !

DON JUAN. Pauvre petite.

LA PETITE. Oh, je ne suis plus à plaindre, désormais. Dieu 415 m'a exaucée. Le ciel s'ouvre. *(Elle s'approche de lui. Il ne veut pas.)* Vous me repoussez ?

DON JUAN *(reculant)*. Je suis malheureux, Angélique.

LA PETITE. Je comprends, Don Juan, je sais ce que c'est.

Don Juan est sorti.

420 *Mais Angélique ne s'en est pas rendu compte. Elle continue à lui parler, pensant qu'il est derrière elle et ne se retournant pas pour respecter sa pudeur.*

LA PETITE. Vous verrez, mon amour, au début, le bonheur est aussi fort qu'une douleur, cela déchire tellement qu'on 425 souffre… C'est un coup mortel pour l'orgueil de se savoir autant lié à l'autre… Il faut consentir à aimer. Bonsoir, Don Juan. Je vais rêver de vous.

Elle sort délicatement, croyant le laisser seul avec sa peine.

SCÈNE 4

La scène reste vide un instant puis l'on entend frapper des coups contre un mur. Silence. Les coups reprennent. Marion apparaît et court, légère, jusqu'à la bibliothèque. Elle actionne un flambeau accroché au mur et la bibliothèque s'écarte pour laisser place à un 5 *passage secret, obscur, qu'occupe la Duchesse.*

LA DUCHESSE *(descendant, elle frappe violemment ses mains).* Ça y est, je la tiens, Marion, je la tiens.

MARION. Qui cela? Mademoiselle Angélique?

LA DUCHESSE. Mais non, l'araignée[1]! Celle qui m'a prise pour 10 un mur pendant tout le temps où j'étais cachée. D'abord, nous nous sommes regardées longuement, puis, après m'avoir par-

---

1. Symbole lunaire polysémique (à plusieurs sens). Voir l'étape 7, p. 126-127.

courue de haut en bas, pour faire connaissance, elle s'est mis en
tête de m'utiliser pour construire une toile entre le mur et moi!
Et je ne pouvais pas bouger un bras, ni crier…

15 MARION. Pauvre Madame, elle qui a si peur des araignées.

LA DUCHESSE. Je n'en ai plus peur, Marion, plus du tout. Les
araignées, c'est comme le peuple, on s'en fait une idée
effrayante tant qu'on ne les connaît pas, mais une fois qu'on les
a vues pour ce qu'elles sont, d'honnêtes travailleuses, on est ras-
20 suré. Marion, j'ai dû attendre l'âge que j'ai, certes, mais je te le
dis : je n'ai plus peur des araignées!

MARION. Cependant vous l'avez tuée.

LA DUCHESSE. Elle a payé pour toutes celles dont j'ai eu peur,
non mais!

SCÈNE 5

Madame Cassin passe la tête et aperçoit la Duchesse.

MADAME CASSIN *(aux autres, derrière elle).* Elle est ici.

LA COMTESSE *(apparaissant, nerveuse).* Mais enfin, Duchesse,
vous aviez disparu!

5 LA RELIGIEUSE *(déboulant).* Que se passe-t-il? Où est Don
Juan?

MADEMOISELLE DE LA TRINGLE. Madame, nous avons assez
différé les confrontations, il faut finir l'instruction et commencer le procès.

10 LA DUCHESSE. Mesdames, tout a changé. *(Les femmes s'immo-
bilisent. Importante.)* Mon oreille me tenant lieu d'intelligence,

j'ai pris connaissance de nouveaux éléments qui vont modifier totalement le cours de notre affaire. *(Sombre.)* Je crains bien que nous ayons commis une grosse erreur.

15   *Les femmes s'assoient toutes ensemble, dos au public, face à la Duchesse qui va parler.*

Noir brusque.

ACTE III

Même lieu. Ce n'est pas encore l'aube.

SCÈNE 1

Les sept femmes sont là, à la lueur des bougies. Atmosphère tendue de drame. Quelques restes de petit déjeuner, bols de lait et de chocolat.

5 *Marion débarrasse puis sort.*

LA COMTESSE. Et quand est-il mort ?

LA DUCHESSE. Pendant la nuit.

LA COMTESSE. Et qui l'a trouvé ?

LA DUCHESSE. Le garde-chasse, tout à l'heure ; il a buté sur le
10 corps lorsqu'il partait faire sa ronde.

MADAME CASSIN. Où était-il ?

LA DUCHESSE. Dans l'allée, sous les fenêtres de l'aile gauche.
Je m'y suis rendue, c'était affreux… lui qui avait été si beau…
démis, brisé, défait… et ce sang déjà coagulé sur sa tempe…

15 LA COMTESSE. Mais enfin, comment cela a-t-il pu se passer ?

LA DUCHESSE. Je ne sais pas, il a dû sauter de la fenêtre de sa
chambre, il s'est écrasé sur le sol…

Elle pleure.

MADAME CASSIN. Vous l'aimiez donc tant ?

20 LA DUCHESSE. Je ne m'en étais pas rendu compte avant ce
matin. Enfin, il a eu une belle vie… et puis… il ne savait pas
voler.

LA RELIGIEUSE. Il ne savait pas voler !

LA DUCHESSE *(comiquement indignée)*. Non madame! Les
25 paons ne volent pas et lui pas plus qu'un autre. Ce sont de
pauvres petits êtres purement décoratifs, inventés pour orner
nos parcs. Sans doute la pauvre bête, qui ne le savait pas, a-t-
elle voulu essayer, lubie de vieillard... *(Dramatique.)* Ou alors
c'est un suicide!
30   LA COMTESSE. Allons, allons, tout de suite les grands mots!
Calmez-vous, Duchesse, personne n'est éternel, et un oiseau
encore moins.

SCÈNE 2

ANGÉLIQUE *(impatiente)*. Don Juan ne descend pas, marraine?
MADEMOISELLE DE LA TRINGLE. Rien ne presse, mon petit,
nous parlons.
5   ANGÉLIQUE. Cependant nous avions dit...
LA COMTESSE *(à Angélique, presque agressive)*. Vous êtes bien
fraîche, pour une malade...
ANGÉLIQUE *(esquissant une petite révérence, et retenant un sourire)*. Vous m'en voyez désolée. *(À la Duchesse.)* Et Don Juan?
10   LA DUCHESSE. Tu as raison, il va bien falloir l'appeler... *(Prise
par un sanglot subit.)* Qu'au moins mon paon ne soit pas mort
pour rien...
Elle pleure.
LA RELIGIEUSE *(compatissante)*. Duchesse...
15   *Elle se met à renifler avec la Duchesse.*

LA COMTESSE. Je dois dire, Duchesse, que je suis parfois surprise par vos réflexions. Ainsi – vous me le pardonnerez – je n'ai
toujours pas saisi le rapport entre ce que nous faisons et votre
paon…

20   LA DUCHESSE *(brusquement joyeuse)*. Ne cherchez pas ma
bonne Aglaé, il n'y en a pas. C'est du gâtisme[1]. Du pur
gâtisme! Et je remercie Dieu de m'avoir permis d'arriver à un
âge où l'on peut radoter sans remords. Je m'ennuyais tellement… À dix ans, lorsque vous dites n'importe quoi, personne

25   ne s'en étonne, c'est un mot d'enfant; à vingt ans, si vous continuez et que vous avez une jolie figure, c'est de l'esprit, on
applaudit. Mais passé trente ans, vous voilà muselée, sauf à passer pour une sotte. La décrépitude m'a redonné l'impunité. On
dit simplement : «La vieille est gâteuse», on ne m'en veut pas.

30   Parfois même, on pousse la complaisance jusqu'à s'extasier sur
mon âge – on m'en prête un d'ailleurs que je n'ai pas, à les
entendre, j'aurais connu Saint Louis –, et pour finir, les plus
polis, après m'avoir accordé vingt ans de plus, s'exclament : «Et
elle ne les fait pas! Elle est plutôt bien conservée.» Moi qui pen-

35   dant des années ai dû parler comme un disciple de Monsieur
Descartes[2], aujourd'hui je me mets à l'obscur, au fumeux…
Tenez! pour un peu, je me ferais poète.

---

1. État de celui dont les fonctions, en particulier intellectuelles, sont devenues confuses à cause de
l'âge ou de la maladie.
2. Philosophe du XVIIe siècle. Le *Discours de la méthode* (1637) propose une approche rationnelle
de la connaissance. Sa conception en partie mécaniste de l'homme (Ve partie du *Discours*), radica-
lisée par La Mettrie au XVIIIe siècle, deviendra «l'homme-machine».

MADEMOISELLE DE LA TRINGLE *(prenant la mouche)*. Vous insultez la littérature que je représente.

40 LA DUCHESSE. D'abord, vous ne représentez que vous-même, Mademoiselle de la Tringle…

ANGÉLIQUE *(impatiente)*. Marraine, vous ne pensez pas que Don Juan…

LA DUCHESSE *(négligeant l'interruption)*. …Ensuite, vous 45 vous trompez, j'admire profondément les hommes et les femmes qui ont le courage d'être gâteux plus tôt que les autres, car au fond qu'est-ce qu'un poète ? C'est un gâteux prématuré. Moi je n'ai jamais eu de vocation : j'ai toujours tout fait en même temps que tout le monde.

50 *Mademoiselle de la Tringle va pour répliquer lorsqu'un brusque coup de tonnerre, semblable à celui qui annonçait l'entrée de Don Juan au premier acte, l'interrompt. Dans le même temps un terrible éclair illumine froidement la pièce provoquant un frémissement d'effroi chez les femmes. D'instinct elles se retournent vers le* 55 *haut de l'escalier et crient d'une seule voix :*

LES FEMMES. Don Juan !

SCÈNE 3

Mais au lieu de Don Juan, c'est Sganarelle qui entre, suivi de Marion. Il regarde les femmes avec étonnement. Don Juan les suit, usé, épuisé, les épaules basses et le dos rond, les traits tirés par la veille. Angélique se précipite.

5 ANGÉLIQUE. Don Juan qu'avez-vous?

Don Juan la regarde, surpris, comme s'il sortait d'un rêve ou relevait de maladie.

DON JUAN. Mais rien…

Il l'observe et quelque chose semble le gêner dans le visage
10 *d'Angélique. Il détourne la tête et vient s'asseoir en titubant de faiblesse. Les femmes le regardent sans indulgence, proches du mépris. Léger flottement dans l'action.*

ANGÉLIQUE. Marraine, ce procès est-il bien nécessaire?

LA DUCHESSE. Tout à fait, mon petit.

15 ANGÉLIQUE. Mais puisque Don Juan m'aime…

LA COMTESSE *(corrigeant).* …vous épouse…

ANGÉLIQUE. …m'aime et m'épouse, ne pouvons-nous pas nous dispenser de ces chicaneries?

MADEMOISELLE DE LA TRINGLE. D'abord, où avez-vous pris
20 qu'il vous aimait?

ANGÉLIQUE. Il me l'a dit lui-même.

LA RELIGIEUSE. À qui ne l'a-t-il pas dit?

LA COMTESSE. Il dit «je t'aime» comme l'escrimeur se met en garde, c'est le début du duel, vous n'aviez pas compris?

25 LA DUCHESSE. Surtout s'il t'aime, ce procès devient indispensable.

ANGÉLIQUE. Vous allez lui faire mal.

LA COMTESSE. Espérons-le.

ANGÉLIQUE. Mais vous êtes odieuses! Vous ne pensez pas à
30 notre bonheur.

LA COMTESSE. Ma petite, je me soucie de votre bonheur

comme de l'orgasme des libellules. Ce n'est pas pour vous que nous organisons ce procès, c'est pour nous!

LA DUCHESSE. Aglaé, tout de même, le bonheur
35 d'Angélique...

LA COMTESSE. Heureuse, Duchesse, heureuse! Voilà bien de ces idées à la mode! Est-ce que nous avons songé seulement à être heureuses, nous *(montrant la Religieuse)*, elle qui épouse le Bon Dieu *(montrant Mademoiselle de la Tringle)*, l'autre la litté-
40 rature et moi qui me dévoue au vice!

MADAME CASSIN. Je suis heureuse, moi.

LA COMTESSE. M'étonne pas! Un idéal d'arrière-boutique, le bonheur, ça vous a des relents de pantoufle et de pot-au-feu.

MADAME CASSIN *(continuant, très claire).* Je suis heureuse et je
45 n'en veux pas à Don Juan. Il m'a prise... parce que je me suis donnée. J'ai cru à ses paroles d'amour, mais je sais qu'un instant il les a crues, lui aussi. Et lorsque Don Juan s'est envolé, j'ai gardé la meilleure et la seule chose qu'il m'avait laissée de lui : son souvenir.

50 LA COMTESSE *(névrotique).* Taisez-vous! Ce sont les êtres sans mémoire qui ont des souvenirs! Pour moi, c'est tout près, il n'est pas parti il y a vingt ans, ni même hier, mais ce matin! Mon corps est encore las, les draps sont chauds!

La Duchesse se lève et marche avec autorité sur Don Juan.

55 LA DUCHESSE. Notre procès est bouleversé, Don Juan. Nous nous étions toutes réunies ici afin de juger et condamner un homme qui était la scélératesse même montée sur bottes...

DON JUAN. Eh bien?

LA DUCHESSE. Nous souhaitions le faire. Nous le souhaitons
60 toujours. C'est impossible.

DON JUAN. Et pourquoi?

LA DUCHESSE *(le désignant du doigt).* Cet homme n'est pas
Don Juan. Cet homme est un imposteur.

Don Juan sourit, comme soulagé. Angélique, Sganarelle et
65 *Marion demeurent stupéfaits.*

SGANARELLE *(se précipitant vers la Duchesse).* Madame, vous
vous trompez : c'est Don Juan, mon maître, je vous assure.

LA DUCHESSE. Vous êtes aveugle, valet, approchez-vous donc
et regardez-le, celui que vous tenez comme votre maître.
70 Observez ces épaules qui s'arrondissent – sous le poids de quoi?
rien ne pèse sur le vrai Don Juan. Voyez ce regard perdu dans
des pensées : on dirait un homme qui se souvient, or Don Juan
n'a pas de mémoire. Voyez le temps qui commence à tisser sa
toile sur son visage, ces petits fils de rides qui relient les pau-
75 pières aux oreilles, et les oreilles aux lèvres.

SGANARELLE *(étonné, il cherche cependant à justifier son*
maître). C'est qu'il vieillit, Madame…

LA DUCHESSE *(lui soufflant ironiquement la fin de sa phrase).*
…comme nous tous…?

80 SGANARELLE. …comme nous tous…

LA DUCHESSE *(fortement).* Justement : c'est impossible. Don
Juan n'est pas soumis aux lois du temps.

Les femmes s'approchent, inquiétantes, se plaçant autour de lui.

DON JUAN *(avec un étrange sourire).* C'est vrai : j'ai changé.

85 LA RELIGIEUSE. Traître, vous n'avez pas le droit de changer!

LA DUCHESSE. Alors notre procès aussi a changé. On ne tire pas sur le gibier lorsqu'il est mort. Hier, nous vous reprochions d'être Don Juan. Ce matin, nous vous accusons de n'être plus Don Juan. Le procès peut commencer.

90 *Angélique, d'instinct, se place entre eux.*

ANGÉLIQUE. Mais taisez-vous, toutes. Don Juan veut se lier à moi.

LA DUCHESSE *(regardant tristement Angélique).* Ma pauvre enfant…

95 ANGÉLIQUE *(agressive).* Je ne suis pas à plaindre. *(Se tournant vers Don Juan.)* Mais dis-leur, toi! *(Don Juan la regarde, muet.)* Parle, elles ne me croient pas.

LA DUCHESSE. Don Juan, êtes-vous amoureux d'Angélique?

DON JUAN *(tristement, détournant son regard d'Angélique).*
100 Non. *(Angélique est abattue par la nouvelle. Don Juan lui dit gentiment :)* Mais ne pleure pas : j'essaierai… si c'est ce que tu veux.

LA COMTESSE. «J'essaierai… si c'est ce que tu veux»! Mais sortez-moi de ce cauchemar!

105 LA DUCHESSE. Don Juan, levez-vous et jurez-nous de dire la vérité.

DON JUAN. Je dirai tout ce que vous voudrez.

LA DUCHESSE. Non, ne nous promettez pas notre vérité, mais la vraie : la vôtre.

110 DON JUAN. Je le jure.

Mme Cassin intervient, discrète mais pressante.

MADAME CASSIN. Madame la Duchesse, nous devrions en rester là. Dans le secret, c'est le mystère qu'on aime, et non la vérité.

LA DUCHESSE. Je veux savoir.

115 MADAME CASSIN. Mais quand il n'aura plus d'ombres, plus de silences, vous l'aurez – nous l'aurons – totalement perdu.

LA RELIGIEUSE. Comme séducteur, il nous restera toujours Dieu : celui-là, on ne sait jamais ce qu'il pense.

LA DUCHESSE. Don Juan, choisissez-vous un avocat parmi ces 120 dames.

Don Juan s'approche de Madame Cassin et lui baise galamment la main. Elle consent d'un sourire.

LA COMTESSE. C'est l'avocat qu'il vous faut : elle est muette.

LA DUCHESSE. Le chef d'accusation est clair : vous avez trahi 125 la traîtrise. J'appelle donc Sganarelle à témoigner devant nous. *(Sganarelle accourt.)* Sganarelle, depuis quand Don Juan n'est-il plus Don Juan ?

SGANARELLE *(à Don Juan)*. Ne craignez rien, Monsieur, je ne sais rien mais je vous défendrai bien. J'ai confiance en vous : je 130 suis persuadé que vous restez aussi mauvais qu'avant.

DON JUAN. Sganarelle !

SGANARELLE *(lyrique)*. Je leur montrerai comme votre cœur est sale, je révélerai ce fumier qu'est votre âme. C'est simple : si Don Juan n'existait pas, j'aurais pu l'inventer[1].

135 DON JUAN. Toi aussi. Décidément, j'appartiens à tout le monde, sauf à moi

---

1. Plagiat du célèbre aphorisme de Voltaire : « Si Dieu n'existait pas, il faudrait l'inventer. »

LA DUCHESSE. Sganarelle, adressez-vous à la cour.

SGANARELLE. Mon maître demeure immonde, Mesdames, immonde autant qu'avant et je commence à le prouver : ne se
140 montre-t-il pas en ce moment particulièrement déplaisant à vos yeux ?

MADEMOISELLE DE LA TRINGLE. Je dois avouer…

SGANARELLE *(triomphant)*. C'est donc bien lui ! Il vous trahit, il se dérobe : c'est Don Juan. Il ne vous a pas abandonnées puis-
145 qu'il vous abandonne encore.

LA COMTESSE. Poursuis, valet, tu m'intéresses.

DON JUAN. Cesse, veux-tu, je parlerai moi-même.

LA COMTESSE. Du tout : c'est en vous noircissant qu'il pourra vous blanchir.

150 LA DUCHESSE. Sganarelle, contentez-vous de répondre aux questions qu'on vous pose. Vos élucubrations sont trop intelligentes pour n'être pas totalement fausses. *(Elle lui tend son carnet.)* Que s'est-il passé il y a cinq mois et vingt-huit jours ?

ANGÉLIQUE *(sortant de sa torpeur)*. Mais…

155 SGANARELLE. Je n'en sais rien, madame la Duchesse.

LA DUCHESSE. Consultez le carnet.

ANGÉLIQUE. Marraine !

LA DUCHESSE *(toujours à Sganarelle)*. Tentez de vous souvenir, valet, de ce qui se passa… avant… ou bien après…

160 *Don Juan se lève pour s'interposer. La Duchesse l'arrête d'un geste.*

LA DUCHESSE. Vous parlerez à votre tour.

SGANARELLE. Ah oui, je me souviens… C'était un soir de l'automne dernier, non, c'était la nuit plutôt…

Sganarelle tente de se souvenir : il ne sait pas vraiment à la ren-
165 *contre de quels souvenirs il se dirige. Au fur et à mesure qu'il parle,*
la lumière baisse sur la scène du procès.

SGANARELLE OFF. Nous marchions dans Valognes éteinte.
Nous rentrions de je ne sais quelle aventure, vierge, femme
mariée, je ne sais plus, je lis mal mon carnet, bref, c'était une
170 petite soirée paisible où nous laissions le malheur et les larmes
derrière nous lorsque…

SCÈNE 4

Le décor du fond s'est ouvert, laissant place à une arrière-scène
noire où l'on voit deux silhouettes en train de marcher, et une troi-
sième plus loin, immobile. Sganarelle est maintenant au fond de la
scène, dans le passé, tenant une lanterne à la main. Soudain, pris
5 *de tremblement, il indique à son maître Don Juan une forme*
encore indistincte.

SGANARELLE. Mon Dieu, mon Dieu… Là… mon maître…
une apparition.

DON JUAN *(sans regarder)*. Encore!

10 SGANARELLE. Ah, c'est terrible… il pointe sa main vers
nous… c'est la vengeance…

DON JUAN. Et qu'as-tu vu cette fois-ci? Dieu ou le diable?

SGANARELLE. Là… Là…

DON JUAN. J'ai remarqué, Sganarelle, que selon les époques,
15 les mystiques aperçoivent le Christ nu sur la croix ou bien cou-

vert jusqu'au nombril. Au fond c'est pour cela qu'on devrait vous croire, vous autres, les inspirés : vous êtes incapables d'inventer quoi que ce soit !

SGANARELLE. Là… Là… La statue !

20 DON JUAN. Eh bien quoi, la statue ?

SGANARELLE. Elle bouge…

DON JUAN *(regardant enfin)*. Une statue qui bouge, c'est très rare, elle a dû sauter de son socle. *(Il s'approche.)* Je suis content d'apprendre qu'une statue peut se mouvoir, car lorsque l'on 25 reste trop longtemps immobile, on éprouve irrésistiblement le besoin de gestes insignifiants qui deviennent brutalement indispensables : se moucher, se gratter, déplacer une couille, démentir un faux pli… *(On voit plus nettement le jeune homme immobile. Don Juan arrache sa lanterne à Sganarelle.)* Comme 30 c'est curieux. C'est vrai, elle tend la main.

Il la contemple.

SGANARELLE. Ne la touchez pas, il ne faut pas.

DON JUAN. Mais voyons, elle me tend la main.

SGANARELLE. Elle va vous brûler.

35 DON JUAN. C'est si simple.

Il prend la main du jeune homme qui, immédiatement, abandonne son immobilité et éclate de rire.

LE JEUNE HOMME. Bravo, l'ami, vous n'êtes pas peureux.

DON JUAN. Tu vois, Sganarelle, en plus, elle parle. C'est une 40 statue très sympathique.

SGANARELLE *(bougon)*. D'abord, une statue qui bouge et qui parle, ce n'est pas une statue.

DON JUAN. Et qu'est-ce?

SGANARELLE. C'est un homme.

45   DON JUAN *(au jeune homme)*. Vous êtes un homme?

LE JEUNE HOMME. Je ne sais pas.

DON JUAN. Alors, vous en êtes un.

LE JEUNE HOMME. Mes amis, pardonnez-moi, je ne voulais pas passer pour une créature surnaturelle ou un quelconque
50   démon, mais je m'amusais simplement à jouer l'automate[1].

SGANARELLE *(de méchante humeur)*. L'automate? Connais pas ce légume-là.

LE JEUNE HOMME. C'est une apparence d'homme. À l'intérieur, tout est faux, il n'y a ni cœur, ni sang, ni cerveau, ni vis-
55   cères, point d'organes, point de tripes, mais seulement des roues, des boulons, des poulies. Ça ne mange que de l'huile et ça ne pense à rien. C'est entièrement mécanique.

SGANARELLE. C'est diabolique, oui!

DON JUAN. Voilà bien Sganarelle! Il y a quelques instants, il
60   vous prenait pour un envoyé de Dieu, maintenant vous voilà messager du diable! La théologie[2] lui a gâté la tête au point que désormais, pour lui, faire une nuance, c'est passer du blanc au noir sans transition. Il était beaucoup moins sot avant de se mêler d'être intelligent. Je suis Don Juan.

65   LE JEUNE HOMME. Chevalier de Chiffreville. J'ai pour défaut de préférer le vin à l'huile, pour mes rouages. D'où mes plaisanteries de fin de soirée… J'aime un peu trop le vin.

---

1. Machine imitant les êtres animés qui se meut grâce à des ressorts et selon les lois de la mécanique.
2. Étude de la religion (du grec *theos*, «dieu», et *logos*, «parole, discours», ou *logia*, «théorie»).

DON JUAN. On aime toujours trop quand on aime vraiment. L'excès est de rigueur. Et que faites-vous, chevalier?

70   LE JEUNE HOMME. Je fuis.

DON JUAN. Vous fuyez?

LE JEUNE HOMME. Beaucoup.

SGANARELLE. La police?

LE JEUNE HOMME *(riant)*. Moi-même. Mais je ne perds
75   jamais ma trace, je me rattrape toujours. Il n'y aurait que le vin qui me permettrait de m'égarer un instant mais chaque matin, clac, je me retrouve et je me resuis pour toute la journée.

SGANARELLE. J'ai connu un homme un peu comme vous : il avait peur de son ombre[1].

80   LE JEUNE HOMME. Non, une ombre, ça ne vous appartient pas, c'est la lumière qui vous la donne. Il suffit de sauter en l'air pour qu'elle se détache de vos pieds, ou bien de vivre dans l'obscurité. Alors moi, faute de m'élever ou bien d'éteindre, je bois. Chacun sa nuit!

85   DON JUAN *(amusé)*. Mais qu'y a-t-il de haïssable en vous?

LE JEUNE HOMME. Ah ah… *(Il ne répond pas.)* Au fait, l'ami, ne m'accompagneriez-vous pas jusqu'à la prochaine échoppe[2] d'oubli! Je vous invite.

Il tend la main à Don Juan. Noir sur le fond de scène.

---

1. Reflet, chimère, fantôme, simulacre, apparence (sens figuré ou métaphorique). Ici, le mot revêt une forte valeur symbolique, psychique et religieuse. Il est aussi un symbole de l'inconscient.
2. Petite boutique (*cf.* le mot anglais *shop*, «magasin»).

SCÈNE 5[1]

La lumière revient, assez faible, dans la salle du procès.

LA COMTESSE. Quoi? C'est tout? Il a seulement rencontré le frère de mademoiselle?

SGANARELLE. Non, il a rencontré mademoiselle aussi, car, au petit matin, après une nuit passée à l'auberge, il ramena à sa sœur le jeune homme qui ne tenait plus debout.

MADEMOISELLE DE LA TRINGLE. Cela me paraît bien ordinaire.

LA DUCHESSE. Peu importe. Continuez, Sganarelle.

SGANARELLE. Le lendemain, à l'auberge des Trois Renards, le Chevalier se livrait à son occupation favorite.

SCÈNE 6

La lumière quitte le procès, les murs du fond s'entrouvrent : on découvre la taverne des Trois Renards. Le jeune homme boit, seul, à la table. Deux verres posés. Deux chaises dont l'une est vide. Le chevalier, avec le vin un peu triste, semble désœuvré.

Don Juan arrive, plein de vie.

DON JUAN. Je vous ai fait attendre ? Pardonnez-moi.

LE JEUNE HOMME *(se levant, surpris).* J'étais persuadé que vous ne viendriez pas.

DON JUAN. Ah, je l'avais pourtant promis.

---

1. Les scènes 5 à 11 ont été modifiées ou ajoutées par l'auteur dans la nouvelle version (2005) que nous donnons du texte.

10   LE JEUNE HOMME. D'après ce que vous m'avez raconté hier, je vous imaginais peu fidèle à vos promesses.

DON JUAN. Pas à celle que je vous ai faite.

LE JEUNE HOMME. Vraiment ?

DON JUAN. Vraiment. Vous serez mon exception.

15   LE JEUNE HOMME *(touché)*. Votre exception ? *(À la cantonade)* À boire, tavernier, à boire !

Ils frappent leurs verres pour porter un toast.
Noir.

SCÈNE 7

SGANARELLE OFF. Le lendemain, à l'auberge des Trois Renards...

Lumière sur la même taverne.

Don Juan et le Jeune Homme se rendent, chacun par un côté
5 *différent, en même temps à la table.*

LE JEUNE HOMME *(ravi)*. Incroyable, nous arrivons ensemble !

DON JUAN *(joyeux)*. Oui, j'ai décidé de ne pas vous faire attendre.

LE JEUNE HOMME. Avez-vous passé une belle journée ?
10 Racontez-la-moi.

DON JUAN. Oh non, elle fut insignifiante.

LE JEUNE HOMME. Impossible puisque c'est la vôtre. Vous me la raconterez ? S'il vous plaît ?

DON JUAN *(amusé par sa fraîcheur)*. D'accord.

15   LE JEUNE HOMME. Mais vous buvez avec moi, cette fois.

DON JUAN. Vous savez bien que je ne bois pas, comme tous les esprits méfiants.

LE JEUNE HOMME. À boire, tavernier, à boire !

Ils portent un toast.

20 *Noir.*

SCÈNE 8

SGANARELLE OFF. Le lendemain, à l'auberge des Trois Renards…

Le Chevalier et Don Juan arrivent chacun de leur côté en courant. À cause de leur précipitation, ils manquent presque de se
5 *cogner l'un à l'autre. Ils éclatent de rire.*

DON JUAN. Quoi, déjà ?

LE JEUNE HOMME. Vous aussi ?

DON JUAN. J'étais un peu en avance, mais bien décidé à vous attendre.

10 LE JEUNE HOMME. Moi aussi, c'est amusant. Avez-vous passé une belle journée ?

DON JUAN. Magnifique. J'en a vécu chaque instant en pensant à vous le raconter. Et vous ?

LE JEUNE HOMME. Oui. Non. Je ne sais pas.

15 DON JUAN. La soirée sera belle.

LE JEUNE HOMME. La soirée sera belle !

ENSEMBLE. À boire, tavernier, à boire !

Ils frappent leurs verres pour porter un toast.
Noir.

SCÈNE 9

SGANARELLE OFF. Le lendemain, à l'auberge des Trois Renards...
Don Juan, déjà installé à sa table, attend depuis des heures. Cependant, il ne boit pas.
5 *Il se lève avec fébrilité, presque contrarié, lorsqu'il voit arriver le Chevalier.*

DON JUAN. Ah enfin... Vous êtes en retard.

LE JEUNE HOMME. Excusez-moi. Une obligation à la caserne.

DON JUAN. J'étais inquiet... non, contrarié... enfin, je ne sais
10 pas.

LE JEUNE HOMME *(avec innocence)*. Vous me pardonnez ?

DON JUAN *(avec difficulté)*. Parce que c'est vous.

LE JEUNE HOMME. Merci. Qu'avez-vous fait aujourd'hui ?

DON JUAN. J'ai attendu.

15 LE JEUNE HOMME. Quoi ?

DON JUAN. Ce soir...

LE JEUNE HOMME. Moi ?

DON JUAN. Nous.

LE JEUNE HOMME *(comme un enfant)*. Moi !

20 DON JUAN *(éclatant de rire)*. Pourquoi pas ? Peut-être qu'après des années passées à manger des femmes jusqu'à l'indigestion, je dois éprouver le besoin de jeûner. Vous êtes ma diète.

LE JEUNE HOMME. Qui dit diète dit privation... Je vous prive
25 de sexe, je vous prive de femmes.

DON JUAN. Bah, j'espère que ça ne durera pas…

LE JEUNE HOMME. Notre amitié ?

DON JUAN. Non, la diète.

LE JEUNE HOMME. Vous souhaitez que l'appétit vous
30 revienne?

DON JUAN. Oui.

LE JEUNE HOMME *(avec une énergie qui cache sa douleur)*. À
boire, tavernier, à boire !

SCÈNE 10

SGANARELLE OFF. Et le lendemain… Eh bien le lendemain, si
je me souviens bien, le Chevalier ne se rendit pas à l'auberge.

*Lumière. On voit Don Juan, désespéré, qui attend. Il boit. Pour
la première fois de sa vie sans doute, souffrant d'abandon, il*
5 *enchaîne les verres de vin, seul et tristement.*

SGANARELLE OFF. Que s'était-il passé pour que le Chevalier
ne vint plus ? Je ne l'ai jamais su. Soudain, le Chevalier se
révéla introuvable.

La lumière baisse sur Don Juan qui attend toujours.

10 SGANARELLE OFF. Don Juan courut partout, à sn hôtel, à la
caserne : le Chevalier demeurait invisible.

La scène se trouve dans l'obscurité.

SGANARELLE OFF. Arriva alors ce soir où Don Juan rendit une
visite à la petite Angélique. Et là, Don Juan franchit un pas
15 dans la débauche.

LA RELIGIEUSE OFF. Quelle horreur !

LA COMTESSE OFF. Ne dites pas cela, vous êtes ravie.

LA RELIGIEUSE OFF. Oh, vous, vous ne pensez qu'à ce que je pense !

SCÈNE 11

Don Juan se rend chez la petite Angélique. On découvre une chambre sombre où se trouve un grand lit couvert de blanc.

Angélique, surprise, laisse entrer Don Juan dans la pièce. Celui-ci, un peu raide, mal à l'aise, semble sombre et hagard sous son
5 *manteau.*

ANGÉLIQUE. Don Juan ? À cette heure ? Vous m'avez fait peur… Mais pourquoi ? Vous… Vous cherchez mon frère ?

DON JUAN *(le regard fixe)*. Non.

ANGÉLIQUE. Ah ? C'est moi que vous venez voir ?

10 DON JUAN. Il faut croire. *(Un temps.)* D'ailleurs, où est-il votre frère ?

ANGÉLIQUE. Depuis quelques jours, il a multiplié les extravagances. Il a tenu, contre tout bon sens, à se fiancer à une fille borgne de la noblesse du voisinage ?

15 DON JUAN. Se fiancer ?

ANGÉLIQUE. Et dans le même temps, il se pavane au bras d'une créature, une torche rousse qui promène toujours une petite marionnette à la main…

DON JUAN *(voyant de qui il s'agit)*. Fiammetta ! Une putain.

20 ANGÉLIQUE. Elle va toujours à moitié nue, ils s'embrassent en

public et traînent dans tous les lieux qui suintent la crasse et le vin. Le scandale court les rues derrière eux.

DON JUAN. Cela vous fait de la peine ?

Surprise, Angélique le dévisage. Elle prend son temps et choisit
25 *de ne pas répondre.*

ANGÉLIQUE. Et vous ?

DON JUAN. En quoi cela devrait-il m'affecter ?

ANGÉLIQUE. Je vous croyais amis.

Don Juan s'approche d'elle, presque ricanant, commençant à
30 *dévoiler ses intentions.*

DON JUAN. Voyons, est-ce que j'ai le temps ou l'envie d'aimer votre frère ? Et qu'a-t-il fait qui mériterait cela ?

ANGÉLIQUE. Vous vous voyiez si souvent…

DON JUAN *(avec charme, mais avec quelque chose de contraint,*
35 *aussi).* De la ruse, ma belle, de la ruse. Un simple stratagème pour arriver à mes fins. Un marchepied. Votre frère ne fut qu'un moyen.

ANGÉLIQUE. Un moyen pour quelle fin ?

DON JUAN. Vous, ma belle, vous! L'homme conduit toujours à
40 la femme, que ce soit l'épouse ou la sœur – je ne raffole pas des mères… C'est vous le bout de mon chemin, ma jolie, c'est vous. Car depuis le premier matin, je meurs d'amour pour vous.

ANGÉLIQUE. Je ne vous crois pas, Don Juan, vous avez un regard… Vous me faites peur…

45 DON JUAN. Qu'a-t-il donc, mon regard ?

ANGÉLIQUE. C'est… comme de la haine…

DON JUAN. C'est le désir petite, c'est le regard du loup! *(Montrant le lit.)* Viens, je vais te tenir compagnie en attendant ton frère.

50 ANGÉLIQUE. Non, je ne veux pas… D'ailleurs je ne l'attends pas… Rentrez chez vous… Je lui dirai que vous…

DON JUAN. Au diable, ton frère, ce n'est pas lui que je veux – est-ce clair? – c'est bien toi. *(Impératif.)* Allons, viens!

Il l'embrasse.

55 ANGÉLIQUE. Mon Dieu… mon Dieu…

DON JUAN *(avec rage).* Il s'en fout de toi, ton Dieu, et de moi, et de tout le monde. On peut copuler comme des rats, il ne voit rien. Il a les yeux crevés. Il agonise perpétuellement tandis que nos peaux et nos intestins se frottent. C'est un charnier, ton
60 Dieu, il pue, il pète d'impuissance! Viens!

Il la fait rouler sur le lit. Ils commencent à faire l'amour.

Noir presque complet sur toute la scène.

SGANARELLE OFF. Voilà comme Don Juan obtint le corps de la petite Angélique. Au matin, il prononça quelques mots tendres afin que la jeune fille put croire qu'elle avait passé la
65 plus belle nuit du monde.

SCÈNE 12

Lumière blafarde sur un champ nu au matin. Brumes. Apparaissent deux silhouettes : le Chevalier et Don Juan.

LE JEUNE HOMME *(l'épée à la main).* Vos témoins sont arrivés?

DON JUAN. Pas encore.

5   LE JEUNE HOMME. Les miens non plus.

DON JUAN. Chevalier…

LE JEUNE HOMME *(l'interrompant)*. Regardez, Don Juan, c'est l'aube! Ma première aube à jeun. C'est très beau, l'aube, comme un mur qu'on nettoie et qui redevient blanc.

10   DON JUAN. Chevalier, renonçons à ce duel!

LE JEUNE HOMME. Vous avez déshonoré ma sœur!

DON JUAN. Je réparerai : j'épouserai votre sœur.

LE JEUNE HOMME *(étrangement déterminé)*. Raison de plus pour se battre!

15   DON JUAN. Mais je réparerai, vous dis-je. Votre sœur m'aime et…

LE JEUNE HOMME. Vous n'aimez pas ma sœur.

DON JUAN. Pas le moins du monde.

LE JEUNE HOMME. Vous vous êtes vengé de moi sur elle.

20   DON JUAN *(sincère)*. Vengé de quoi?

LE JEUNE HOMME. En garde, Don Juan!

DON JUAN. Et nos témoins?

LE JEUNE HOMME. Je les ai décommandés. Nous sommes seuls. En garde!

25   DON JUAN. En garde!

Ils sont en garde tous les deux et se font face. Aucun n'ose commencer.

DON JUAN. Pourquoi n'êtes-vous pas venu aux rendez-vous que je vous donnais?

30   LE JEUNE HOMME. On vous a sûrement répondu : je n'avais pas le temps.

DON JUAN. Vous ne me ferez pas croire que la vie militaire, dans une ville de garnison, tout d'un coup…

LE JEUNE HOMME. Qu'en savez-vous?

35 DON JUAN. Soit. *(Un temps.)* Mais Fiammetta, cette putain vulgaire? Pourquoi ne pas passer nos soirées à la taverne des Trois Renards, comme avant?

LE JEUNE HOMME. Ai-je des comptes à vous rendre, Don Juan?

40 DON JUAN. Je le croyais… Fiammetta, une fille de caniveau qui ne vous plaisait même pas?

LE JEUNE HOMME *(cinglant)*. Sans doute obtenais-je d'elle quelque chose que vous ne pouviez me donner, cher ami? Auriez-vous poussé l'amitié jusqu'à partager mon lit? Donc, 45 vive Fiammetta! En garde!

DON JUAN. Je ne me battrai pas.

LE JEUNE HOMME. Vous vous battrez sinon je vous embroche.

DON JUAN. Je ne vous crois pas.

LE JEUNE HOMME. Je suis à jeun, méfiez-vous.

50 DON JUAN. Effectivement, ça m'inquiète. C'est la première fois que j'ai peur de la mort. Oh non, pas de la mienne, mais de la vôtre. Cette vie qui ne tient qu'à un fil, le fil de mon épée… Je ne me battrai pas.

LE JEUNE HOMME. Restez en garde!

55 DON JUAN. Soit. *(Un temps.)* Ne vous faites pas plus méchant que vous n'êtes.

LE JEUNE HOMME. Je vous hais, Don Juan!

DON JUAN. Je ne vous crois toujours pas, Chevalier, je ne vois

pas de haine dans vos yeux, c'est de la tristesse ; et puis, là,
60 maintenant, comme un espoir, oui, un espoir, je vois…
Chevalier…

   Subitement, le Chevalier se jette en avant, s'enfonçant volontairement sur l'épée de Don Juan qui n'a pas le temps de réagir.
   Le Chevalier tombe à terre, blessé à mort.

65 DON JUAN *(bouleversé)*. Je… je… Je n'ai rien fait… Je…

   LE JEUNE HOMME *(parlant difficilement)*. Je sais. J'aurais bien bu pour avoir un peu de courage, mais j'avais peur de me rater. J'espère que j'en ai fait assez pour mourir.

   DON JUAN *(à genoux, lui soutenant la tête)*. Pourquoi mourir ?

70 LE JEUNE HOMME. Il faut abattre les chiens galeux.

   DON JUAN. Vous n'êtes point galeux.

   LE JEUNE HOMME. J'allais le devenir. Je vous ai déjà fait du mal ces derniers jours, mais je pouvais vous en faire davantage.

   DON JUAN. Vous ne me haïssez pas…

75 LE JEUNE HOMME. Voyez, lorsque nous étions petits, ma sœur et moi, nous rencontrâmes un chien errant. Notre domestique, qui adorait les bêtes, souhaita le garder. Ma sœur et moi n'étions pas d'accord, car le chien, couvert de croûtes, pelé, édenté, sentait mauvais. C'était pourtant la plus affec-
80 tueuse des bêtes, amicale, tendre, dépourvue de rancune, et à nous voir, chaque matin, sa queue battait tellement de joie que tout son corps en était déporté. Mais il était laid et nous n'en voulions pas. Il nous donnait son amour, nous lui rendions des coups ; il s'attachait à nous, nous l'attachions au mur ; plus il
85 était bon, plus nous étions odieux. Alors, un jour, il mordit ma

sœur par surprise, puis moi le lendemain. Cet amour sans retour l'avait rendu comme enragé, il attaquait tout le monde, lui, le plus doux des chiens. Nous avons saisi ce prétexte pour le tuer.

90   DON JUAN. Mais j'étais prêt à vous rendre votre affection.

LE JEUNE HOMME. Mon affection peut-être, mais mon amour?

DON JUAN. Chevalier!

LE JEUNE HOMME. Ne répondez pas, Don Juan, vous ne
95 diriez que des bêtises. *(Un temps.)* Vous savez… Fiammetta… je ne l'ai jamais touchée… je la payais pour qu'elle fasse croire à nos débauches… je voulais donner le change. *(Un temps.)* Vous appréciez le sexe et le destin vous envoie l'amour sous une forme que vous ne pouvez désirer. Puni!… Moi j'étais fait pour
100 aimer, mais pas là où il fallait, ni comme il fallait. Puni aussi. Mais pour quoi? Pour quelles fautes? Est-ce Dieu ou les hommes qui sont mauvais? *(Subitement fiévreux.)* Pourtant Dieu existe, Don Juan, Dieu existe. Car ce que j'ai senti pour vous, c'est cela, Dieu.

105   DON JUAN. Alors si Dieu est là, en vous, en moi, dans votre cœur et dans le mien, pourquoi mourir? Ce carnage…

LE JEUNE HOMME *(s'affaiblissant).* Pour ne pas vivre à vos côtés sans pouvoir… *(Il va pour le toucher puis retient son geste.)* Et puis mourir pour vous le dire, et que vous me le disiez. Car
110 vous me le dites aussi, Don Juan, vous me le dites bien?

DON JUAN. Je vous le dis.

LE JEUNE HOMME. Oh oui, dites-le-moi, mais pas avec les

mots, ils ont traîné dans toutes les bouches, dites-le-moi avec les yeux. *(Don Juan le regarde intensément.)* Comme vous le
115 dites bien : on voit que vous n'avez pas l'habitude. Recommencez une fois encore.

Don Juan le regarde intensément. Le Jeune Homme a une expression signifiant qu'il est heureux, qu'après un tel échange, il peut mourir.
120 *Don Juan, agenouillé, tient la tête du Chevalier contre lui, étrange pietà.*

Noir progressif. Don Juan et le jeune homme disparaissent dans les souvenirs.

SCÈNE 13

On revient dans le salon où se passe le procès. Les murs du fond se sont fermés sur le passé. Angélique pleure doucement tandis que les femmes demeurent songeuses.

LA DUCHESSE *(posant la main sur l'épaule d'Angélique).* Pleure,
5 mon petit, pleure, les larmes font partir le chagrin.

DON JUAN *(comme s'il finissait le récit qu'avait commencé Sganarelle).* Je ne connaissais que le sexe, je ne connaissais que la guerre. Je croyais savourer le plaisir et je n'en goûtais que l'excitation. J'aimais gagner, rien d'autre.
10 *(Se tournant vers la Duchesse.)* Depuis toujours, j'attendais… J'attendais chaque fois que l'une de vous m'arrête, me retienne. Je vous ai toutes regardées en me disant : « Je pars. » Et je pouvais toujours partir…

LA DUCHESSE. Et lui…

15   DON JUAN. Et lui, je l'ai manqué aussi. Je ne m'attendais à reconnaître l'amour que paré d'un jupon. *(Il se tourne vers Angélique qui pleure.)* Angélique, m'acceptez-vous comme époux?

LA COMTESSE. Arrêtez.

20   DON JUAN *(douloureusement)*. Alors il serait mort pour rien?

MADAME CASSIN *(doucement)*. On n'épouse pas ses souvenirs.

DON JUAN. Alors lui, le premier, il m'aurait fait sortir de moi-même et je devrais y rentrer après qu'il m'a montré le chemin? Il se serait sacrifié pour que je reste aussi sot qu'avant? Je veux
25   aimer.

MADEMOISELLE DE LA TRINGLE. Pas elle.

DON JUAN. Elle souffre…

LA COMTESSE. Un saint, Don Juan vire au saint! Avant il sentait le soufre, maintenant le cierge éteint. Où est votre soutane,
30   mon frère?

DON JUAN *(poursuivant)*. Elle a besoin de moi.

ANGÉLIQUE. Non.

DON JUAN. Je veux que tu sois heureuse.

ANGÉLIQUE *(déchirante)*. Je ne veux pas d'un homme qui veut
35   me rendre heureuse, je veux un homme égoïste, bien égoïste, et possessif, et jaloux, qui m'aime pour lui, rien que pour lui, pour être heureux, lui, avec moi.

DON JUAN. Mais ce n'est pas de l'amour.

ANGÉLIQUE. C'est le mien. De l'amour égoïste. C'est celui
40   que je veux en retour.

Se ressaisissant ultimement, Angélique se lève et se prépare à monter l'escalier.

ANGÉLIQUE. Partez. Je sais maintenant pourquoi vous m'épouseriez, et la raison en est trop sublime, elle me répugne.
45 Je préfère être malheureuse : c'est être heureuse à ma façon.

Don Juan la regarde tristement.

DON JUAN. Angélique…

Angélique qui sortait se retourne.

DON JUAN *(lentement)*. J'aurais pu t'aimer.

50 *Angélique se cache le visage dans ses mains pour dissimuler sa peine et disparaît.*

SCÈNE 14

LA RELIGIEUSE. Le divorce ! Je n'en peux plus : je demande le divorce !

LA COMTESSE. Quoi ? Qu'est-ce que vous dites ?

LA RELIGIEUSE. Le divorce ! Immédiatement ! J'exige le
5 divorce !

LA DUCHESSE. Allons, ma sœur, contrôlez-vous.

LA RELIGIEUSE. Je suis mariée à Dieu. Je n'en peux plus de Dieu. Je ne veux plus de Dieu.

LA DUCHESSE. Reprenez-vous.

10 LA RELIGIEUSE. Je Le hais. Cela fait dix ans que je suis l'Épouse de Dieu, et que m'a-t-Il donné, en dix ans ? Pas ça ! Rien. Il ne m'a pas rendue moins sotte ni plus laide. Il n'a pas chassé un seul des désirs qui me tourmentent, au contraire

c'est à croire qu'Il les attise. Dieu de pardon ? C'est moi qui
15 suis obligée de tout Lui pardonner : Ses silences, Ses absences,
Son indifférence, ma claustration et mon ennui. *(Véhémente.)*
Venez donc chez nous, dans le harem de l'Époux Céleste, et
vous verrez Ses vieilles favorites, celles qui n'ont pas vu la poussière d'un chemin depuis cinquante ans, celles qui se sont
20 enfermées ici pour rester avec Lui alors qu'Il a toujours mieux
à faire ailleurs et qu'Il n'est jamais là, ce sont de vieilles
pommes ridées dont plus personne ne voudrait ! Elles parlent
de Dieu avec une tendresse de femmes battues et trompées
toute leur vie.

25 LA DUCHESSE. Ma sœur !

LA RELIGIEUSE. Mais regardez ce qu'Il nous a fait, à toutes, et
ce qu'Il lui fait, à lui : la trahison, toujours la trahison ! Dieu
nous inspire de l'amour pour un être mais c'est pour mieux
nous le retirer ensuite. *(Déchaînée.)* Des plaisirs de pêcheurs à
30 la ligne ! *(Elle mime l'action comme une démente.)* « Tiens, mon
petit poisson, regarde le beau ver ! » *(Elle fait brusquement le
geste de retirer la canne.)* Et hop, on le tire de l'eau et on l'emmène mourir dans un monde froid et blanc. *(Mauvaise, en
regardant le ciel.)* Il s'amuse comme un petit fou là-haut !

35 *La Religieuse sort brusquement.*

SCÈNE 15

*Mademoiselle de la Tringle s'avance, tremblante de rage, vers
Don Juan.*

MADEMOISELLE DE LA TRINGLE. Ainsi la prochaine inconnue que vous rencontrerez, vous l'aimerez?

5   DON JUAN. Oui.

MADEMOISELLE DE LA TRINGLE. D'un amour absolu?

DON JUAN. Oui.

MADEMOISELLE DE LA TRINGLE. D'un amour éternel?

DON JUAN. Oui.

10   MADEMOISELLE DE LA TRINGLE. Comme dans mes romans?

DON JUAN. Oui.

MADEMOISELLE DE LA TRINGLE *(hurlant)*. Imbécile! Mes romans sont stupides!

Et elle gifle violemment Don Juan. Celui-ci supporte stoïque-
15 *ment le soufflet. Mademoiselle de la Tringle s'écarte, prise de trem-blements nerveux. Madame Cassin vient l'apaiser.*

La Comtesse, subitement douce et calme, comme on ne l'a jamais vue, s'approche de Don Juan, lui pose délicatement la main sur l'épaule et dit, ensorcelante :

20   LA COMTESSE. Laisse-les, aucune ne te comprend. Elles se prennent toutes pour tes victimes, moi seule ai reconnu le maître. Lorsque tu es parti, je ne me suis pas mouchée, non, j'ai réfléchi, puis j'ai appris, règle par règle, ton catéchisme. J'ai appris qu'en amour il n'y avait pas d'amour, mais des vain-
25 queurs et des vaincus… J'ai appris que la victoire n'avait d'autre but que la victoire, qu'il n'y avait pas d'après… J'ai appris que le plaisir est fade s'il n'a pas le goût du mal, que la caresse tou-jours préfigure la gifle et le baiser ébauche la morsure… J'ai appris qu'on attrape les hommes par la queue mais qu'on les

30 saigne au cœur… Tout cela, je te le dois, c'est ma fidélité.
Viens.

DON JUAN. Trop tard. Je suis guéri.

LA COMTESSE *(dans son rêve)*. Tu reviendras : le poisson se
noie s'il sort de l'eau. *(Elle prend son manteau et se dirige vers la*
35 *sortie.)* Sois tranquille, en t'attendant, je ferai le mal pour deux :
je tromperai, je déniaiserai, j'éventrerai tout ce qu'il reste d'innocence jusqu'à ce que j'arrive enfin, nue, chez le diable, mon
corps couvert de sa vraie gloire : la petite vérole.

DON JUAN. La petite vérole ? Je ne vous croyais pas si
40 modeste.

LA COMTESSE *(lui donnant rendez-vous)*. Au diable, Don
Juan.

Elle a disparu. Mademoiselle de la Tringle l'a suivie spontané-
ment.

SCÈNE 16

Don Juan se retourne vers Madame Cassin et la Duchesse qui
sourit légèrement.

LA DUCHESSE. Marion, éteins les bougies.

MARION. Madame, il fait encore si sombre.

5 LA DUCHESSE. Chut, éteins les bougies, voici l'aube.

Marion va progressivement éteindre les bougies. La salle sera
presque dans le noir pendant quelques instants puis le jour, arri-
vant des grandes baies, envahira progressivement la scène.

LA DUCHESSE *(songeuse et musicale)*. On dit que les nouveau-
10 nés sont quasiment aveugles pendant leurs premières semaines
sur cette terre, qu'ils ne distinguent ni formes ni couleurs, jusqu'au jour où le sourire d'une mère, les deux mains d'un père,
écartant la gaze floue et confuse qui recouvre le berceau, leur
apparaissent. Et puis, plus tard, à l'âge adulte, il y a – parfois –
15 de nouveau, un homme ou une femme qui soulève le rideau,
donnant forme et couleur au monde. Le Chevalier l'a fait. Où
irez-vous ?

DON JUAN. Je ne sais pas. Au-delà de moi.

LA DUCHESSE. C'est tout près.

20 MADAME CASSIN. C'est très loin. Bonne chance, Don Juan.

Le jour n'est pas encore tout à fait levé. Marion a ouvert les
rideaux qui donnent sur la lumière naissante. Don Juan met sa
cape et s'apprête à partir. Il semble hésiter un instant.

DON JUAN. Dites-moi, Duchesse, comment cela s'appelle-t-il
25 lorsqu'on s'apprête à sortir, plonger dans l'inconnu, aller à la
rencontre des autres ?

LA DUCHESSE. La naissance.

DON JUAN. Et comment cela s'appelle-t-il lorsque, au même
moment, on a peur d'être broyé par la lumière, trahi par toutes
30 les mains, ballotté par les souffles du monde, et que l'on
tremble à l'idée juste d'être une simple et haletante poussière,
perdue dans l'univers ?

LA DUCHESSE. Le courage. *(Un temps.)* Bon courage, Don
Juan.

35   *Don Juan s'éloigne dans la lumière qui croît. En partant, il donne quelque chose à Sganarelle.*

Madame Cassin, Marion et la Duchesse s'approchent des hautes fenêtres devant lesquelles elles ne sont plus que des ombres chinoises.

On découvre alors que Madame Cassin est enceinte. Elle pose
40   *avec satisfaction ses deux mains sur son ventre.*

LA DUCHESSE. Regardez-le, le jour qui se lève, comme il nous trouble, comme il brouille tout. À nos chandelles, les profils étaient nets, les sentiments bien simples, les drames avaient des nœuds qu'on pouvait ou trancher ou défaire.

45   MADAME CASSIN. Mais Don Juan rejoint le jour ; un homme naît.

LA DUCHESSE *(tristement)*. Un homme ? Un petit homme, oui…

MADAME CASSIN *(avec un sourire)*. Un homme, c'est toujours
50   un petit homme.

On aperçoit les femmes à contre-jour et Don Juan qui s'éloigne lentement dans le lointain. Sganarelle, revenu sur le devant, sanglote, assis sur le bord de la scène, fou de chagrin.

LA DUCHESSE. Eh bien quoi, Sganarelle ?

55   SGANARELLE. Mes gages, Madame, mes gages… Il me les a donnés !

Après-texte

Lire

1 Le titre n'est-il, à votre avis, qu'une simple convention ?

2 Quels sont les effets produits par le lieu et l'arrivée des femmes ?

3 En vous aidant du texte, trouvez une expression caractérisant chaque personnage.

4 Recherchez les divers registres de langue que l'auteur prête à ses personnages.

5 À qui sont destinées les didascalies ? Sur quels aspects portent-elles ?

6 Quel est le rôle du portrait découvert par chacune ? Que dénote chaque réaction ?

7 Analysez les effets comiques de la scène.

8 Que vous inspirent les noms des personnages ? les titres des romans imaginaires insérés dans le texte (p. 20) ?

9 Le mot « étrange » apparaît plusieurs fois dans l'acte. Quelles situations et quelles connotations suggère-t-il ?

10 On repère dans ces premières scènes des signes du temps qui passe. Lesquels ? Quel est l'intérêt de ce thème ?

Écrire

Écrits d'invention

11 Imaginez la lettre de la Duchesse à l'un des personnages féminins de votre choix. Inspirez-vous du texte.

12 La Comtesse ne veut pas rester. Elle écrit un court billet à la Duchesse pour s'expliquer et s'en va. Rédigez le billet.

Écrit fonctionnel

13 Imaginez le résumé du roman intitulé *Diane et Phoebus* en fonction de ce que vous savez sur ces figures mythologiques.

Chercher

14 Que savez-vous de l'époque où se situe l'action (société, mouvement intellectuel, mœurs) ?

15 Relevez dans l'acte I, puis cherchez dans la pièce les effets de surprise les plus significatifs. Quel rôle leur accordez-vous ?

Oral

16 Racontez les premières scènes à un(e) camarade que vous voulez convaincre de lire cette œuvre.

À SAVOIR

POUR COMPRENDRE

D'HIER À AUJOURD'HUI, CONTINUITÉ DU THÉÂTRE

Le théâtre (du grec *theaomai*, « ce que l'on voit ») est un art du spectacle. Il s'est constitué, en particulier aux XVIIe et XVIIIe siècles, grâce à des codes qui ont subi des crises et ont évolué avec le temps mais sont toujours à l'œuvre (distraire et instruire, refléter un état de la société, sonder la conscience des hommes).

Le Siècle des lumières a fait monter le questionnement philosophique, politique, moral, social, religieux sur la scène. Le théâtre d'aujourd'hui est tributaire du passé qui se transmet par la culture (patrimoine culturel commun, culture personnelle et visées de l'auteur) et de l'activité créatrice de l'auteur dont le but est d'éveiller les sens et, par là, la conscience. Le comique détend, le drame émeut, la provocation représentée dans la distance de l'art interpelle. Après la crise de la déconstruction verbale, du silence (Ionesco), de l'absurde (Camus, Beckett), le théâtre réaffirme l'importance du texte, premier producteur de sens. Le texte de théâtre se fonde sur deux textes complémentaires : le texte principal dit par les personnages, et le texte secondaire indiqué par les didascalies (du grec *didascalia*, « enseignement »). Si le metteur en scène (ou l'acteur) prend des libertés avec celles-ci, il peut agir sur le sens du texte principal.

La Nuit de Valognes : le titre, premier repère textuel, peut être une simple convention ou donner déjà des indications. L'œuvre hérite du passé (mythe, intertextualité) mais se constitue en genre mixte, baroque (unité de lieu mais pas de temps ni d'action, songes éveillés, retour en arrière, coups de théâtre). L'auteur joue sur la gamme des grandes fonctions du langage : l'émotionnel, le subjectif (*moi*/*je*), la pression sur l'autre (*toi*/*tu*), l'appel à l'imaginaire. Les didascalies (décor, gestuelle, effets scéniques) amplifient le pouvoir suggestif du texte dit. L'auteur va à la rencontre (ou à l'encontre) du spectateur en établissant aussi avec lui un pont intellectuel par l'argumentatif ou le satirique.

Lire

1 Les « lois de la nature humaine » : expliquez ce que la Duchesse entend par cette expression (p. 30, l. 106-107).

2 Étudiez le vocabulaire employé par la Duchesse pour caractériser les femmes « bafouées » par Don Juan (p. 30).

3 La didascalie « hypocritement » (p. 31, l. 133) peut-elle se passer d'un geste théâtralisé pour être lisible par le spectateur, ou bien la réplique se suffit-elle à elle-même ? De quelles qualités l'acteur doit-il faire preuve ?

4 Quel(s) sens donner au mot « sauver » dans le contexte (p. 32, l. 152) ?

5 Les mots « croyance » et « certitude » impliquent des attitudes intellectuelles différentes : lesquelles (p. 32, l. 167-168) ?

Écrire

Écrit argumentatif

6 Rédigez un texte argumentatif expliquant, exemples littéraires à l'appui (Molière : *Tartuffe*, *Dom Juan*...), ce qu'est un hypocrite sincère par rapport à un franc hypocrite.

Chercher

7 Le carnet (la liste, le catalogue) : comparez les éléments que donne cette scène (p. 33) avec le livret du *Don Giovanni* de Mozart. (Voir le groupement de textes p. 142.)

8 Connaissez-vous d'autres œuvres artistiques ayant célébré Don Juan (littérature, peinture, musique) ?

9 Recherchez les principales composantes du mythe de Don Juan et dites lesquelles sont présentes dans la tirade d'entrée de Don Juan (scène 6, p. 35-36). (Vous pouvez consulter le *Dom Juan* de Molière dans la même collection, n° 62.)

Oral

10 Présentez un résumé oral des deux scènes d'environ deux minutes.

11 Vous êtes metteur en scène et vous expliquez à vos acteurs ce que vous voulez faire ressortir dans ces deux scènes (ton, mimique, gestuelle, déplacements des personnages).

À SAVOIR

POUR COMPRENDRE

TRACES ET TRANSFORMATION D'UN MYTHE

De manière générale, le mythe est un récit très ancien, souvent considéré comme inspiré. Il raconte un événement ayant eu lieu dans le temps fabuleux des commencements, il explique ce qui s'est mis à exister, et révèle l'être ou le dieu lié à l'événement. Mais en entrant dans le cycle d'un mythe littéraire, ces éléments premiers se renouvellent.

Après Tirso de Molina (*El Burlador de Sevilla*, 1630), Molière (*Dom Juan*, 1655), Mozart (*Don Giovanni*, 1787), Don Juan, séducteur scélérat châtié, ou repenti sauvé, selon sa double légende, devient le héros d'un mythe littéraire inépuisable. En faisant de Don Juan le héros de *La Nuit de Valognes*, l'auteur présente sa propre version du mythe. On peut y retrouver la trace lointaine d'un récit des commencements, qui explique et qui révèle (expérience première de l'amour, métamorphose d'un être, intuition d'un lien mystérieux entre l'amour et le divin). Mais l'appartenance au mythe littéraire fait intervenir d'autres facteurs. L'auteur conserve ses éléments traditionnels (séduction, promesses de mariage, mépris des êtres et des codes, revendication de liberté, duel, etc.), mais modifie profondément ses composantes fondamentales et leurs liens (le groupe des femmes, le héros et la rencontre avec la mort). À la fin de l'acte I, le mythe connu s'est troublé et l'étrangeté domine.

Ce qui apparaît vite évident est l'éclatement du mythe qui rebondit sur les personnages : l'effet Don Juan est vécu différemment selon les victimes. Les valeurs qui les animent ne sont plus les mêmes qu'autrefois. Tout a changé en fonction du temps de l'action et de celui du spectateur. Les codes sociaux et moraux sont autres. Don Juan vit une mutation. En étant encore, tout en n'étant plus, le mythe invite à une nouvelle métamorphose.

(Pour la question du mythe de Don Juan, voir le volume n° 62 de la même collection consacré au *Dom Juan* de Molière, et les ouvrages de Pierre Brunel et de Jean Rousset indiqués dans la bibliographie p. 151.)

DON JUAN À LA RECHERCHE DE LUI-MÊME :

SINCÉRITÉ, DUPLICITÉ, COMPLICITÉ

Lire

1 Quelles sont les étapes de la scène 2 ? Donnez-leur un titre.

2 Quelles raisons voyez-vous au monologue de Don Juan « pour lui-même » (p. 56, l. 22-30) ? S'agit-il de narcissisme ?

3 Quelle est la fonction des mimiques et des gestes de Sganarelle au début de la scène 2 ? Une didascalie caractérise le personnage « d'oracle étonné » (p. 58, l. 85). Expliquez la formule.

4 p. 60, l. 125-126 : « Don Juan n'est plus Don Juan ». Commentez la formule.

5 Expliquez les mots « libertinage » et « vertu » dans le contexte (p. 60, l. 135).

6 Quels traits particuliers les paroles de Don Juan font-elles apparaître chez Sganarelle (p. 57-58, l. 61-70) ? Précisez le lien qui unit les deux personnages.

7 Relevez les aspects comiques et notez les variations de ton dans la scène 2.

8 Cherchez dans la scène 2 des expressions renvoyant à la difficulté de se connaître.

Écrire

Écrit fonctionnel

9 Sganarelle écrit une nouvelle page de son carnet pour résumer le dialogue qu'il vient d'avoir avec son maître.

Chercher

10 Don Juan porte sur lui-même des jugements que Molière mettait dans la bouche de Sganarelle (p. 57, l. 51-53 et *Dom Juan*, I, 1). Quel est l'intérêt de cette transposition ?

11 Observez les gestes et les propos de Sganarelle dans la scène 2 ainsi que dans l'acte III, scène 4 et montrez qu'il évolue à la limite de deux mondes (le visible et l'invisible).

Oral

12 Exposez la relation Don Juan – Sganarelle chez Schmitt et chez Molière : ressemblances et différences.

13 Faites une lecture théâtralisée de la scène 2.

À SAVOIR

POUR COMPRENDRE

L'ÉBAUCHE D'UN THÈME : LE DOUBLE

Le thème du double est ancien. *La Nuit de décembre* d'Alfred de Musset contient l'exemple type : « Partout où j'ai voulu dormir, / Partout où j'ai voulu mourir, / Partout où j'ai touché la terre, / Sur ma route est venu s'asseoir / Un malheureux vêtu de noir, / Qui me ressemblait comme un frère. »

Dans *La Nuit de Valognes,* deux aspects du double rythment l'action et tissent des liens allant du visible et du dit à l'invisible et au non-dit.

• La *complicité* : le mot évoque une connivence, une entente profonde, mais il désigne aussi la participation à la faute, au délit commis par un autre. Les deux significations peuvent se conjuguer. La complicité apparaît souvent dans la pièce et accompagne, en particulier, le dialogue marqué par la sincérité et le naturel entre Don Juan et son valet (acte II, scène 2). Don Juan s'interroge sur son « moi » (son ego), son être véritable, se demande qui il est. Sganarelle qui croit se connaître avoue : « [...] je suis plus complexe que je ne le croyais » (p. 58, l. 72-73). Il se donne le rôle de la « conscience » qui admoneste et guide. Mais sa complaisance empêche toute critique permettant à l'être de Don Juan de se construire et fait obstacle à sa connaissance de soi. La ruse est aussi une faculté commune (voir le plaidoyer-réquisitoire, acte III, scène 3).

• La *duplicité* : le mot définit l'attitude d'un personnage qui joue deux rôles, au théâtre comme dans la vie. On peut inscrire sous ce mot la caractéristique fondamentale de la plupart des personnages qui expriment des tendances opposées. Ceci est particulièrement vrai pour Don Juan et renvoie à sa double légende de séducteur scélérat (*El Burlador*) et de séducteur repenti (légende de Miguel Mañara). Schmitt transpose cette dualité : franchise et hypocrisie, galanterie et violence, amour et haine, tout ce que la Comtesse reproduira au risque de se perdre. « Le Jeune Homme » (acte III, scène 4) révélera à Don Juan une autre dimension de lui-même.

LE LIBERTINAGE DANS LA DRAMATURGIE
DE SA PROBLÉMATIQUE

Lire

1 Comment définir l'attitude de chaque personnage dans les méandres de la scène 3 ? À quel moment précis le dialogue peut-il à nouveau s'instaurer ? Pourquoi ?

2 Quelles remarques vous suggère le reproche adressé à Angélique : « C'est vous l'auteur » (p. 66, l. 114) ?

3 Quel sens chaque personnage attribue-t-il à la formule : « Seuls comptent les faits » (p. 67, l. 148) ?

4 La tirade de Don Juan (p. 68, l. 174 et suivantes) peut-elle susciter une adhésion ou n'est-elle qu'une provocation ? Justifiez votre réponse.

5 Dégagez les arguments définissant l'amour véritable selon Angélique (p. 75-76).

6 « Vous vivez tout en double » (p. 76, l. 376). Comparez à l'acte III, scène 6 (p. 95-96). Quel est l'intérêt et quelles sont les limites du procédé de la « voix off » ?

7 Quels sont les motifs principaux d'opposition qui séparent les deux protagonistes ?

8 Observez les indications données par les didascalies concernant l'attitude ou le ton de Don Juan dans cette scène. Que vous apprennent-elles sur le personnage ?

9 Quelle est l'idée centrale de la métaphore utilisée par Angélique (p. 74, l. 329-334) ?

10 La notion morale de « mal » peut-elle émouvoir Don Juan ? À quel moment de la pièce son comportement change-t-il et pourquoi ?

11 Dans la scène 3, Angélique est appelée « petite fille ». À la fin de la pièce (acte III, scène 13), Don Juan est appelé « petit homme » (p. 112, l. 44 et 47). Expliquez et commentez ces appellations.

12 « L'amour, il n'est pas besoin de le connaître pour le reconnaître » (p. 75, l. 341-342). Comment comprenez-vous cet aphorisme ?

13 Qu'est-ce que « croire en Dieu » pour Angélique (p. 77, l. 391) ? Sa définition entre-t-elle dans le cadre d'une religion définie ?

Écrire

Écrit argumentatif

14 Une société libre et une société libertaire : caractérisez ces deux formes de société à travers une argumentation construite et rattachée au texte.

Chercher

15 Faites une recherche sur le mythe d'Orphée et Eurydice et dites s'il vous semble adapté à la situation des personnages.

16 Comparez la tirade de Don Juan (p. 68-69) à celle du *Dom Juan* de Molière (I, 2) (voir le groupement de textes p. 140-141)

Oral

17 Fidélité et liberté : ces deux notions sont-elles contradictoires ? Trouvez des exemples littéraires ou historiques pour illustrer votre avis.

18 Lisez la tirade du *Dom Juan* de Molière (I, 2, p. 140-141).

POUR COMPRENDRE

À SAVOIR

LE LIBERTINAGE EN QUESTION

Dans la mémoire collective, Don Juan est l'archétype du libertin vouant sa vie au libertinage (p. 60, l. 135) dont les deux significations (libertinage de pensée ou de mœurs) ne sont pas forcément liées. Mais Don Juan incarne l'immoralisme, voire l'amoralisme, et la débauche. La scène 3 de l'acte II met ces contre-valeurs dans la perspective de l'individu et de la société. Don Juan revendique la liberté jusqu'à la subversion (utopie libertaire), la donne pour preuve de sa sincérité et en tire gloire. Angélique défend l'attachement du cœur, la fidélité, et contre-attaque par l'utopie de la « Don Juane ». Le jeu virtuel s'embrouille et finit par un double échec. Pour convaincre l'« escroc de l'amour », Angélique détaille alors avec passion et sincérité l'expérience vécue avec lui : « Tout mon savoir me vient de vous » (p. 77, l. 394). La dialectique opposant deux conceptions de l'amour (égocentrique ≠ altruiste) se résout finalement dans une affirmation qui transcende la sexualité : « il n'est pas besoin de le connaître pour le reconnaître ». L'amour entre alors dans la catégorie de l'absolu et du divin : « C'est une foi. [...] C'est croire en Dieu. » (p. 76-77). L'idée d'un certain matérialisme athée de Diderot affirmant que toutes nos connaissances viennent des sens (*Lettres sur les aveugles à l'usage de ceux qui voient*) ou de Condillac (*Traité des sensations*) apparaît dans le texte. Mais, largement transposée par Schmitt, elle rebondit sur la question universelle du sens de la vie et de l'amour. Le conflit dépassé, le texte devient lyrique, mais le malentendu final renoue l'intrigue.

DON JUAN TRAÎTRE À LUI-MÊME

OU LA MORT D'UN SURHOMME

Lire

1 Quelles sont les raisons du « léger flottement » dans l'action (p. 84-85) ?

2 Pourquoi les femmes sont-elles choquées par la transformation de Don Juan ?

3 Que désigne le mot « cauchemar » dans l'esprit de la Comtesse (p. 88, l. 104) ?

4 Peut-on éclaircir l'ambiguïté de ces deux vérités présentes dans la réplique de la Duchesse (p. 88, l. 108-109) ?

5 Don Juan choisit Madame Cassin comme avocate. Relisez les répliques des personnages féminins et expliquez pourquoi.

6 Le chef d'accusation (p. 89, l. 124-125) est-il aussi clair que semble le croire la Duchesse ?

7 Que suggère la formule de Sganarelle (p. 89, l. 134-135) ?

8 Expliquez la fonction double et paradoxale occupée par Sganarelle dans le procès.

9 Expliquez le paradoxe de la Comtesse : « c'est en vous noircissant qu'il pourra vous blanchir. » (p. 90, l. 148-149)

10 L'auteur joue sur l'ambiguïté des rôles et brouille à souhait ce qui pourrait être clair. Que cherche-t-il à ébranler chez le lecteur ou le spectateur ?

Écrire

Écrit fonctionnel

11 Résumez la scène 3 en une dizaine de lignes en faisant apparaître le mouvement par des articulations logiques.

Écrit d'invention

12 Complétez la réplique de la Duchesse (« Sganarelle, contentez-vous... », p. 90) par un aparté.

Chercher

13 Vocabulaire du procès : instruction, procureur, chef d'accusation, avocat de la défense, témoin à charge, témoin de la défense, interrogatoire... Précisez ces notions.

14 Connaissez-vous d'autres œuvres ou des films contenant une scène de procès ?

Oral

15 Faites une lecture théâtralisée de la scène ou d'une autre scène de procès tirée d'une œuvre que vous présenterez à vos camarades.

À SAVOIR

POUR COMPRENDRE

UN PROCÈS INEXTRICABLE : ILLUSION ET VÉRITÉ DU « MOI »

Quiproquos, rebondissements, retournements et redoublements sont entretenus à plaisir et construisent une comédie d'intrigue qui est en même temps un foyer de paradoxes. Don Juan a-t-il le droit d'échapper au jugement des autres ? Le procédé de la remise en question du connu par le doute systématique, qu'il soit psychologique, moral ou philosophique, traverse la scène. Trois mouvements la rythment. Mais les motivations et les enjeux se brouillent devant l'inconnu qu'est devenu Don Juan.

• Le procès est annulé par défaut de chef d'accusation. Un processus d'inversion montre que Don Juan est devenu un autre. L'imposteur a perdu son panache de séducteur. C'est désormais un héros déshéroïsé. Mais qui peut croire à la fiabilité du changement ? Comme dans le drame du trompeur trompé qui ne peut convaincre personne de son honnêteté, Don Juan est figé dans son personnage par le regard d'autrui.

• Le procès est rétabli. Au nom de la justice ? Non ! Au nom de la trahison de la traîtrise : le traître est décrété traître à lui-même, Don Juan devra payer pour ce désaccord fondamental comme si le libertin n'avait pas le droit d'être libre de ne plus l'être.

• Sauver l'accusé consiste, paradoxalement dans l'action de la pièce, à le réintégrer dans son moule. C'est ce que Sganarelle a compris. Il se lance dans cette entreprise peu évidente et qui relève avant tout du jeu littéraire : rendre à Don Juan son masque et pour cela remettre du noir sur ce personnage devenu trop blanc. Il s'y emploie avec une passion et un discours un peu suspects. Il en fait un peu trop ! Mais la Duchesse n'est pas dupe et elle flaire un mystère qu'elle décide d'élucider.

La scène de procès se prête particulièrement bien à l'expression théâtrale. Elle résulte des passions des personnages et accentue le plaisir du spectateur. Elle entre aussi dans la logique du mythe en procédant à la réécriture d'un aspect du « châtiment » de Don Juan qui gagne de nouvelles résonances.

Lire

1 Quel est le mouvement de la scène 4 ? Comment dans cette scène et dans la scène 5 est annoncée l'évolution de l'action jusqu'à la scène 12 ?

2 Comparez les propos du Jeune Homme (p. 94, l. 74-77) à ceux de Don Juan (acte II, scène 2, p. 56). Quels sont les points communs entre ces deux personnages ?

3 Étudiez les modes et les effets de la répétition dans les scènes 6 à 9 ? Pourquoi, dans cette nouvelle version, l'auteur les a-t-il voulues étrangement semblables ?

4 Étudiez les effets de couleurs et de lumières dans ces mêmes scènes.

5 Le Chevalier vous apparaît-il comme un double de Don Juan, ou a-t-il son autonomie ? Pourquoi vient-il aux rendez-vous dans l'auberge des Trois Renards ? Comment interprétez-vous sa disparition, sa réapparition ?

6 L'attitude de Don Juan à l'égard d'Angélique dans la scène 11 vous semble-t-elle choquante ? La scène a-t-elle quelque chose d'un « conte cruel » ? Qu'est-ce qui sauve la jeune fille du désastre ?

7 Expliquez le retournement de la situation dans la scène du duel (scène 12).

8 Quelle leçon à valeur symbolique peut-on tirer de l'histoire du chien pour éclairer l'action (scène 12, l. 75 et suivantes) ?

9 Assiste-t-on à une progression dramatique, ou l'auteur utilise-t-il des effets de miroir ? Essayez de définir en quoi l'écriture dramatique est originale et surprenante dans ces scènes.

10 Trouvez les étapes de la métamorphose de Don Juan dans l'acte III, scènes 13 à 16. Cette métamorphose vous paraît-elle vraisemblable ?

Écrire

Écrit d'invention

11 Cherchez un alexandrin inséré dans le texte en prose (vers blanc). Essayez d'écrire un quatrain ou un sonnet sur l'ombre, ou sur Don Juan.

Écrit d'argumentation

12 Raison et passion au théâtre ou dans un roman. À partir d'une œuvre que vous connaissez, construisez une argumentation montrant ces deux aspects réunis dans un ou des personnages.

Chercher

13 Quel est l'intérêt théâtral de l'automate ? À quelle(s) scène(s) du *Dom Juan* de Molière cette scène 4 vous fait-elle penser ?

POUR COMPRENDRE

14 Molière utilise l'aspect fantastique de la statue. Schmitt fait allusion à la statue (acte I, scène 6, p. 36) mais lui préfère le mystère de l'automate. Quelle solution préférez-vous et pourquoi ?

Oral

15 Faites une recherche sur Condillac et lisez l'extrait du mythe de la statue en dégageant l'idée principale (voir le groupement de textes p. 132-134).

16 Choisissez un texte présentant un autre Don Juan (voir le groupement de textes p. 137 à 144). Lisez-le ou faites-le entendre (opéra de Mozart). Vous pouvez trouver d'autres textes (Goldoni, *Don Juan* ; Baudelaire, *Les Fleurs du Mal,* « Don Juan aux Enfers » ; Villiers de l'Isle-Adam, *Contes cruels,* « Vera »...).

À SAVOIR

UN ACTE SYMBOLIQUE

Le mythe de Don Juan s'est constitué à partir de sa double légende, autour de ses composantes fondamentales (voir étape 2 p. 118-119). La rencontre avec la mort est liée à l'épisode du « festin de pierre ». Schmitt substitue à cet épisode l'aventure avec le Jeune Homme dont on peut éclairer le sens par le thème du double (voir étape 3 p. 120-121). Sganarelle est un pseudo-double, un complice qui met en lumière le caractère du maître. Il note, et peut-être envie, son libertinage (acte II, scène 2). Cette complicité ressemble parfois à une amitié n'excluant ni les bouffonneries ou railleries mutuelles, ni les différences de caractère (acte III, scène 4). Le valet est même capable d'« inventer » Don Juan (comme s'il l'avait fait !). Mais l'être a ses mystères. Sganarelle ne connaît totalement ni son maître ni lui-même (acte II, scène 2).

Avec le Jeune Homme, la relation est tout autre, fondée sur une authentique rencontre, peut-être aussi sur un principe d'identité fusionnelle, mais d'identité déçue. L'ombre de l'un renvoyait à l'âme de l'autre dans la première version de la pièce. Dans la nouvelle version de 2005, la rencontre est plus réelle, et la séparation est d'autant plus frustrante, et même douloureuse. On assiste à une plongée dans l'inconscient de Don Juan par des moyens dramaturgiques, mais aussi à une donnée nouvelle qui pourrait modifier le cours de sa carrière de libertin si elle ne l'exacerbait dans la scène 11. Le jeu de l'ombre a mis Don Juan en face de sa véritable identité (acte III, scène 4). Mais ce qui suit est-il seulement un jeu de miroir ? Le drame du Jeune Homme modifie le drame de Don Juan lui-même.

STRATÉGIES DU DISCOURS :

DIGRESSION ET SYMBOLE

Lire

1 Quel est l'intérêt de la digression (récit s'écartant de l'histoire principale) sur le paon dans l'ensemble de l'action ? (acte I, scène 5, p. 27-29)

2 Étudiez le lien entre la mort du paon et le thème du temps en donnant des exemples (acte III, scènes 1 et 2).

3 Que représente l'araignée (acte II, scène 4, p. 78-79) ? Trouvez les « mobiles du crime ».

4 Acte III, scène 3 : à quel thème se rapporte la métaphore de l'araignée ?

5 Quelle est la signification symbolique du nom de la taverne, « l'auberge des Trois Renards » (acte III, scène 6, p. 95, l. 2) ?

6 Étudiez les effets comiques, burlesques ou dramatiques relatifs aux discours sur le paon, l'araignée, le chien.

7 La digression sur le chien (p. 105, l. 75 et suivantes) permet à l'auteur de poser indirectement la question du mal (commis ou subi) qui hante les personnages. Quel est l'avantage de ce procédé ?

Écrire

Écrits d'invention

8 Écrivez un poème sur le paon ou sur l'araignée. Vous pouvez vous ins-pirer d'œuvres célèbres : *L'Araignée* (Odilon Redon, lithographie, 1887), « Le Cygne » (poème de Sully Prud-homme, 1869), ou de la manière, plus moderne, de Francis Ponge (voir le recueil poétique, *Le Parti pris des choses*, 1942).

9 Laissez-vous tenter par un pastiche sur le paon, à partir du célèbre qua-train de Lamartine : « Ô temps, sus-pends ton vol [...] » (« Le Lac », 1820).

Chercher

10 Cherchez des exemples de digres-sions significatives ou explicatives chez Shakespeare (*Hamlet*) et Diderot (*Jacques le Fataliste*).

11 Cherchez dans un dictionnaire des symboles la valeur symbolique des principaux animaux cités dans la pièce et repérez celles qui peuvent éclairer le texte.

Oral

12 Préparez un exposé de dix à quinze minutes et présentez le mythe d'Arachné.

13 Une plongée dans le passé : dites un conte dont le héros est un animal et que vous connaissez depuis votre enfance.

À SAVOIR

POUR COMPRENDRE

UNE MISE EN SCÈNE DE L'ÉCRITURE

La digression est, par définition, ce qui s'écarte du sujet principal. Dans un texte littéraire, elle peut devenir paradoxalement un procédé permettant de s'orienter dans le champ des significations. La digression peut être annoncée par un indice affirmatif (« lorsque nous étions petit... », acte III, scène 12, p. 105) ou négatif (« je n'ai toujours pas saisi le rapport [...] », acte III, scène 2, p. 83). On est alors alerté par le texte lui-même et invité à chercher l'intérêt de ces récits parallèles, latéraux ou emboîtés, qui troublent la linéarité du texte. Certains mots qui se trouvent dans ces passages ou ailleurs, plus isolés, suscitent aussi des associations analogiques d'idées. C'est le cas du symbole. Dans l'Antiquité, le symbole était un signe qui permettait aux adeptes des religions à mystère de se reconnaître. Dans un texte littéraire, c'est un mot récurrent (répété) ou ponctuel qui représente autre chose que ce qu'il désigne, en vertu d'une correspondance analogique, et qui sert de relais pour aller à la rencontre du sens.

La Nuit de Valognes utilise de nombreux éléments symboliques dans des registres et des tons variés. Le paon, l'araignée, le chien, le loup, le lapin, le renard, d'autres encore apparaissent comme des équivalents symboliques de personnages. Ils représentent une sensation, un sentiment, un état (peur, angoisse, bonheur, vieillesse), un trait moral (vanité, orgueil), un désir malfaisant ou obscur (cruauté, ruse). Ils participent aux péripéties dramatiques. Le récit du chien et son histoire d'amour tragique sont à l'image des deux destinées qui se croisent. Le récit éclaire le drame et la question du mal dont sont capables les êtres tout en maintenant la part de mystère qui les unit.

Les symboles, à l'intérieur des unités textuelles qui les contiennent, ou inclus dans le texte principal, donnent à la richesse anarchique et jubilatoire du texte ses points d'ancrage en le resserrant autour de l'essentiel.

On peut remarquer que le symbole trouve un vaste champ d'application au théâtre où tout élément peut faire « signe » : décor (« toiles d'araignées »), image, comparaison, métaphore (« il a passé un contrat avec tout l'univers », « comme un poisson dans l'eau », « le regard du loup »), allégorie (« la scélératesse montée sur bottes »), etc. Il faut donc être précis lorsqu'on parle de « symbole ».

STYLISATION DES PERSONNAGES
ET INCARNATION DES IDÉES

Lire

1 Rappelez rapidement l'identité de chaque personnage (nom, état civil, condition sociale).

2 Trouvez et choisissez dans le texte les mots pouvant caractériser le mieux les idées que chacun représente : pour les femmes (acte I, scènes 1 à 6 ; acte II, scènes 1 et 3 ; acte III, scène 3 et 15), Don Juan (acte I, scène 6 ; acte II, scène 3 ; acte III, scènes 3, 11 et 16), le Jeune Homme (acte III, scènes 4 à 7).

3 Les personnages ont-ils un « caractère » ou sont-ils caractérisés et déterminés par l'action ou leurs actes ? Donnez des exemples.

4 Certains personnages, comme la Duchesse, Angélique, sont plus difficiles à saisir par les mots. Pourquoi ?

5 Les personnages s'opposent parfois de manière antithétique. Donnez des exemples. Qu'est-ce qui les oppose ?

6 À l'inverse, qu'est-ce qui les rassemble ?

7 Le personnage relève souvent d'un comique de comédie, parfois de la satire des mœurs ou de l'époque. Donnez des exemples en précisant à quel comique on a affaire : comique de mots, de gestes, de situation, de mœurs (satire de certains traits sociaux), de caractère (satire des vices ou des défauts humains).

8 Dans la dernière scène, quelle est la fonction de la métaphore de la naissance ?

9 Expliquez la dernière réplique de la Duchesse.

Écrire

Écrit fonctionnel

10 Au choix : rédigez une rapide note de synthèse sur l'ensemble des personnages ou présentez en un paragraphe le personnage qui vous semble le plus intéressant.

Écrits argumentatifs

11 *La Nuit de Valognes* peut-elle correspondre aux attentes d'un public actuel ? (Réponse à construire en deux ou trois points.)

12 Les sarcasmes hystériques de Don Juan (acte III, scène 8) et de la Religieuse (acte III, scène 14) contre Dieu posent schématiquement la question de la religion et de l'athéisme. L'auteur résout le problème en offrant à Don Juan une autre voie de « salut ». Laquelle ? Donnez une réponse argumentée.

Chercher

13 À partir de la tirade de la Duchesse (« Regardez-le [...] », p. 114), essayez de formuler une problématique générale qui conviendrait à l'ensemble de la pièce.

14 Commentez la dernière réplique de Sganarelle en la comparant à celle qu'il a chez Molière.

Oral

15 Organisez une table ronde, désignez un animateur pour diriger la séance. Sous son égide, vous choisirez et présenterez quelques aspects de la pièce (action, personnages, style d'écriture, thèmes...). Les avis critiques justifiés sont à solliciter.

À SAVOIR

CHORÉGRAPHIE EN NOIR ET BLANC

Les personnages sont des fictions (*persona*, « masque »), et leur discours est toujours en situation. Le jeu de l'acteur (*mimèsis*) peut favoriser l'identification partielle du lecteur-spectateur. Le personnage est d'abord représenté par un nom, un état civil, un statut social, un passé qui lui est propre ou qui se réfère à l'histoire théâtrale (Don Juan). À ces éléments peut s'ajouter une dimension symbolique ou allégorique. Il incarne alors une idée. On entre ainsi dans la fonction du personnage, des lignes de force et des réseaux de rapports qui se dessinent grâce à lui, rythmant l'action, élargissant l'horizon des significations à la manière des ondes s'éloignant de leur point de départ.

La Nuit de Valognes va de l'approche concrète à celle des forces agissantes, situées dans le champ général du désir. Cette dimension se traduit au niveau des corps et des discours, chaque personnage incarnant un type ou une idée vus en « noir » et en « blanc », consécutivement ou simultanément, avec les jeux de miroir que cela suppose.

L'auteur joue sur la duplicité des êtres, des choses et des idées (effets scéniques ou discursifs) : Sganarelle noircit son maître pour le blanchir (acte III, scène 3), Don Juan accuse « la théologie » de le faire passer « du blanc au noir sans transition » (acte III, scène 4). Une danse de gestes ou de mots à deux faces est partout en jeu. L'itinéraire de Don Juan en noir et blanc est le plus visible. Les effets antithétiques jouent sur toute l'échelle des registres et des tons (soutenu, familier, trivial, ironique, lyrique...). Cette chorégraphie du discours renvoie au mystère des êtres. Dans le vertige des contraires, le personnage perd son masques et gagne de l'humanité.

I) L'ESPRIT DU XVIIIe SIÈCLE

La mort de Louis XV fait reculer le despotisme ; mais l'intolérance religieuse demeure, et nombreux sont ceux qui connaîtront l'emprisonnement, l'exil ou la mort. L'affaire du chevalier de la Barre que Voltaire n'a pu sauver du supplice date de 1766. Malgré les obstacles, le scepticisme cartésien et l'esprit d'examen sont en marche. Diderot est à l'avant-garde avec l'*Encyclopédie*. Elle inaugure un esprit positif et moderne qui doit beaucoup au développement des sciences et à l'évolution des mentalités.

Étienne Bonnot de Condillac (1715-1780)
Traité des sensations, III, 7 (1754)

L'abbé de Condillac, théoricien du sensualisme, pense qu'il n'existe pas d'idées innées, que nos facultés intellectuelles se forment dans l'enfance et proviennent de nos sensations et de notre expérience.

Pour expliquer comment naissent et se développent les idées chez l'être humain, il imagine une fiction philosophique : le mythe de la statue. Il part de l'hypothèse que cette statue est « organisée comme nous ». Elle perçoit des sensations qui deviennent des idées.

Quand notre statue commence à jouir de la lumière, elle ne sait pas encore que le soleil en est le principe. Pour en juger, il faut qu'elle ait remarqué que le jour cesse presque aussitôt que cet astre a disparu. Cet événement la surprend sans doute beaucoup, la première fois qu'il arrive. Elle croit le soleil perdu pour toujours. Environnée d'épaisses ténèbres, elle appréhende que tous les objets qu'il éclairait, ne se soient perdus avec lui : elle ose à peine changer de place, il lui semble que la terre va manquer sous ses pas. Mais au moment qu'elle cherche à la reconnaître au toucher, le ciel s'éclaircit, la lune répand sa lumière, une multitude d'étoiles brille dans le firmament. Frappée de ce spectacle, elle ne sait si elle en doit croire ses yeux.

Bientôt le silence de toute la nature l'invite au repos : un calme délicieux suspend ses sens : sa paupière s'appesantit : ses idées fuient, échappent : elle s'endort.

À son réveil, quelle est sa surprise de retrouver l'astre qu'elle croyait s'être éteint pour jamais. Elle doute qu'il ait disparu ; et elle ne sait que penser du spectacle qui lui a succédé.

Cependant, ces révolutions sont trop fréquentes pour ne pas dissiper enfin ses doutes. [...]

Les révolutions du soleil attirent de plus en plus son attention. Elle l'observe lorsqu'il se lève, lorsqu'il se couche ; elle le suit dans son cours ; et elle juge à la succession de ses idées, qu'il y a un intervalle entre le lever de cet astre et son coucher, et un autre intervalle entre son coucher et son lever.

Ainsi le soleil dans sa course devient pour elle la mesure du temps, et marque la durée de tous les états par où elle passe. Auparavant, une même idée, une même sensation qui ne variait point, avait beau subsister, ce n'était pour elle qu'un instant indivisible ; et quelque inégalité qu'il y eût entre les instants de sa durée, ils étaient tous égaux à son égard : ils formaient une succession, où elle ne pouvait remarquer ni lenteur, ni rapidité. Mais actuellement jugeant de sa propre durée par l'espace que le soleil a parcouru, elle lui paraît plus lente ou plus rapide. Ainsi après avoir jugé des révolutions solaires par sa durée, elle juge de sa durée par les révolutions solaires ; et ce jugement lui devient si naturel qu'elle ne soupçonne plus que la durée lui soit connue par la succession de ses idées.

Jean Le Rond, dit d'Alembert (1717-1783)

L'Encyclopédie, Discours préliminaire, « Les Lettres et les Arts au XVIIᵉ siècle » (1751)

On perçoit dans l'extrait la méthode d'approche et de raisonnement de l'auteur (mathématicien), et le travail de sa réflexion : 1. Présenter les connaissances en soulignant leur enchaînement. 2. Faire en même temps œuvre de dictionnaire raisonné en étudiant dans le domaine concerné ses principes et ses applications essentiels.

Les beaux-arts sont tellement unis avec les belles-lettres, que le même goût qui cultive les unes porte aussi à perfectionner les autres. Dans le même temps que notre littérature s'enrichissait par tant de beaux ouvrages, Poussin faisait ses tableaux, et Puget ses statues ; Le Sueur peignait le cloître des Chartreux, et Le Brun les batailles d'Alexandre ; enfin Quinault, créateur d'un nouveau genre, s'assurait l'immortalité par ses poèmes lyriques, et Lulli donnait à notre musique naissante ses premiers traits.

Il faut avouer pourtant que la renaissance de la peinture et de la sculpture avait été beaucoup plus rapide que celle de la poésie et de la musique ; et la raison n'en est pas difficile à apercevoir. Dès qu'on commença à étudier les ouvrages des anciens en tout genre, les chefs-d'œuvre antiques qui avaient échappé en assez grand nombre à la superstition et à la barbarie, frappèrent bientôt les yeux des artistes éclairés ; on ne pouvait imiter les Praxitèle et les Phidias qu'en faisant exactement comme eux ; et le talent n'avait besoin que de bien voir : aussi Raphaël et Michel-Ange ne furent pas longtemps sans porter leur art à un point de perfection qu'on n'a point encore passé depuis. En général, l'objet de la peinture et de la sculpture étant plus du ressort des sens, ces arts ne pouvaient manquer de précéder la poésie, parce que les sens ont dû être plus promptement affectés des beautés sensibles et palpables des statues anciennes, que l'imagination n'a dû apercevoir les beautés intellectuelles et fugitives des anciens écrivains.

Paul Henri, baron d'Holbach (1723-1789)
Système de la nature, II (1770)

Alors que Voltaire maintient une position déiste dans sa lutte contre l'Infâme (l'intolérance), alors que Rousseau affirme l'existence d'une divinité bienfaisante (*Du contrat social*, IV, 9), d'Holbach est engagé en philosophe matérialiste dans la lutte philosophique menée par Diderot et les encyclopédistes. Dans ce siècle où l'on pourchasse, au nom du dogme, ceux qui revendiquent trop haut la liberté de pensée, il n'hésite pas à affirmer l'origine matérielle de l'homme, quitte à l'enfermer dans un déterminisme qui semble contraire à l'idée de la liberté.

Le Philosophe exempt de préjugés n'entend point ce langage inventé par l'ignorance de ce qui constitue la vraie dignité de l'homme. Un arbre est un objet qui, dans son espèce, joint l'utile à l'agréable ; il mérite notre affection, quand il produit des fruits doux et une ombre favorable. Toute machine est précieuse, dès qu'elle est vraiment utile et remplit fidèlement les fonctions auxquelles on la destine. Oui, je dis avec courage, l'homme de bien, quand il a des talents et des vertus, est, pour les êtres de son espèce, un arbre qui leur fournit et des fruits et de l'ombre. L'homme de bien est une machine dont les ressorts sont adaptés de manière à remplir leur fonction d'une façon qui doit plaire. Non, je ne rougirai pas d'être une machine de ce genre, et mon cœur tressaillerait de joie, s'il pouvait pressentir qu'un jour les fruits de mes réflexions seront utiles et consolantes pour mes semblables. La nature elle-même n'est-elle pas une vaste machine dont notre espèce est un faible ressort ? Je ne vois rien de vil en elle ni dans ses productions… Les orages, les vents, les tempêtes, les maladies, les guerres, les pertes et la mort sont aussi nécessaires à sa marche que la chaleur bienfaisante du soleil, que la sérénité de l'air, que les pluies douces des printemps, que les années fertiles, que la santé, que la paix, que la vie ; les vices et les vertus, les ténèbres et la lumière, l'ignorance et la science, sont également nécessaires ; les uns ne sont que des biens, les autres ne sont des maux que pour des êtres particuliers dont ils favorisent ou dérangent la façon d'exister : le tout ne peut être malheureux, mais il peut renfermer des malheureux.

GROUPEMENTS DE TEXTES

II) D'UN DON JUAN À UN AUTRE

Le mythe de Don Juan est l'un des plus riches de la littérature occidentale. Le personnage semble taillé à la mesure d'une modernité dans laquelle il évolue selon le bon plaisir de ses créateurs. Chaque époque a eu ses Don Juan, et la pièce d'Éric-Emmanuel Schmitt ne sonne peut-être pas encore le glas du mythe. D'abord miroir d'une masculinité capable, dans son lien avec le féminin, de faire son autocritique, le personnage, grâce à ses multiples créateurs, a su aborder les zones les plus inconscientes et parfois les plus inquiétantes des hommes qui se regardent dans le miroir du mythe.

Tirso de Molina (frère Gabriel Téllez, 1583-1648)

El Burlador de Sevilla (*L'Abuseur de Séville*), 1630, acte II, scène XXII, traduction de Pierre Guenoun, © Éditions Flammarion.

Don Juan incarne dans cette œuvre le « châtiment des femmes », il se donne le rôle de justicier masculin contre une prétendue immoralité féminine. Mais c'est sans compter sur la perversité d'une telle attitude qui le transforme vite en immoraliste et en criminel. Il sera châtié à son tour par la statue du Commandeur qui exigera la « main » du séducteur pour l'entraîner dans le sépulcre.

À la scène XXII de l'acte II, Don Juan arrive par hasard, avec son valet Catalinon, dans une noce où se marient Batricio et Aminta.

Don Juan : De passage ici par hasard, j'ai su qu'il y avait une noce au village, et j'ai désiré d'en jouir, puisque j'étais si fortuné.

Gaseno : Votre Seigneurie est venue pour l'honorer et la grandir.

Batricio (à part) : Et moi qui en suis le héros, entre mes dents je dis que je maudis votre venue.

Gaseno : Ne faites-vous point place à notre gentilhomme ?

Don Juan : Si vous le permettez, je vais m'asseoir ici.

Il s'assied à côté de la mariée.

Batricio : Si vous vous asseyez en prenant mes devants, monsieur, c'est vous qui de cette manière allez être le marié.

Don Juan : Ma foi, si je l'étais, je n'eusse point choisi la plus mauvaise part.

Gaseno : C'est à l'époux que vous parlez !

Don Juan : De mon erreur et de mon ignorance accordez-moi pardon.

Catalinon (à part) : Infortuné mari !

Don Juan (à Cat.) : Il a rougi jusqu'aux yeux.

Catalinon (répondant à Don J.) :

D. J. Pasando acaso he sabido
que hay bodas en el lugar,
y dellas quise gozar,
pues tan venturoso he sido.

Gase. Vueseñoría ha venido
a honrallas y engrandecellas.

Batr. (Ap.) Yo, que soy el dueño dellas,
digo entre mí que vengáis en hora mala.

Gase. ¿ No dais
lugar a este caballero ?

D. J. Con vuestra licencia quiero sentarme aquí.

Síentase junto a la novia.

Batr. Si os sentáis
delante de mí, señor,
seréis de aquesa manera
el novio.

D. J. Cuando lo fuera
no escogiera lo peor.

Gase. ¡ Que es el novio !

D. J. De mi error
e ignorancia perdonad.

Cat. (Ap.) ¡ Desventurado marido !

D. J. (à Cat.) Corrido está.

Je le vois bien. Mais s'il doit être le taureau, quoi d'étonnant qu'il voie rouge ? (À part.) Je ne donnerais pas un cornado de sa femme et de son honneur. Malheureux toi qui viens de tomber sous la patte de Lucifer !

Don Juan : Se peut-il que je sois, madame, aussi béni du sort ? Je suis jaloux de votre époux.

Aminta : Vous me semblez flatteur.

Batricio (à part) : Je disais bien que c'est mauvais présage d'avoir à sa noce un puissant.

Gaseno : Eh ! allons déjeuner, pour que Sa Seigneurie puisse un instant se reposer.

Don Juan (veut prendre la main de la mariée) : Pourquoi cachez-vous votre main ?

Aminta : Elle est à moi.

Gaseno : Allons, allons.

Belisa : Chantez encore.

Don Juan (à Catalinon) : Que dis-tu, toi ?

Catalinon : Moi ? Que je crains vile mort venant de ces vilains.

Don Juan : Beaux yeux, blanches mains, j'y prends flamme et je brûle.

Catalinon : Rubriquer la brebis et

Cat. No lo ignoro,
mas si tiene de ser toro,
¿ qué mucho que esté corrido ?
(Ap.) No daré por su mujer
ni por su honor un cornado.
¡ Desdichado tú, que has dado
en manos de Lucifer !

D. J. ¿ Posible es que vengo a ser,
señora, tan venturoso ?
Envidia tengo al esposo.

Amin. Parecéisme lisonjero.

Batr. (Ap.) Ben dije que es mas agüero
en bodas un poderoso.

Gase. Ea, vamos a almorzar,
porque pueda descansar
un rato su Señoría.

(Tómale don Juan la mano a la novia.)

D. J. ¿ Por qué la escondéis ?

Amin. Es mía.

Gase. Vamos.

Beli. Volved a cantar.

D. J. (À Cat.) ¿ Qué dices tú ?

Cat. ¿ Yo ? que temo
muerte vil destos villanos.

D. J. Buenos ojos, blancas manos,
en ellos me abraso y quemo.

Cat. ¡ Almagrar y echar a extremo !

hop ! à la suivante.

Quatre avec celle-ci.

Don Juan : Viens, on nous regarde.

Batricio (à part) : À ma noce, un gentilhomme, mauvais présage !

Gaseno : Chantez !

Batricio : Je meurs.

Catalinon (à part) : Qu'ils chantent, car bientôt ils auront à pleurer.

(Tous s'en vont, et le rideau tombe sur l'acte II.)

Con ésta cuatro serán.

D. J. Ven, que mirándome están.

Batr. (Ap.) En mis bodas, caballero, ¡ mal agüero !

Gase. Cantad.

Batr. (Ap.) Muero.

Cat. (Ap.) Canten, que ellos llorarán.

(Vanse todos, con que da fin la segunda jordada.)

Molière, pseudonyme de Jean-Baptiste Poquelin (1622-1673)
Dom Juan, I, 2 (1665)

Après l'interdiction de *Tartuffe*, Molière « improvise » *Dom Juan* pour combler le manque à gagner et assurer la survie de sa troupe. Le sujet est à la mode, le personnage, cet impie qui viole, séduit toutes les femmes, et disparaît dans une trappe « divine » grâce à la machinerie théâtrale, fascine et attire le public. Dans la scène 2 de l'acte I, Dom Juan confie à Sganarelle qui sait « [s]on Dom Juan sur le bout du doigt » le plaisir qu'il a à mener sa vie de séducteur.

Quoi ! Tu veux qu'on se lie à demeurer au premier objet qui nous prend, qu'on renonce au monde pour lui, et qu'on n'ait plus d'yeux pour personne ? La belle chose de vouloir se piquer d'un faux honneur d'être fidèle, de s'ensevelir pour toujours dans une passion, et d'être mort dès

GROUPEMENTS DE TEXTES

sa jeunesse à toutes les autres beautés qui nous peuvent frapper les yeux ! [...] J'ai beau être engagé, l'amour que j'ai pour une belle n'engage point mon âme à faire injustice aux autres ; je conserve des yeux pour voir le mérite de toutes, et rends à chacune les hommages et les tributs où la nature nous oblige. Quoi qu'il en soit, je ne puis refuser mon cœur à tout ce que je vois d'aimable ; et dès qu'un beau visage me le demande, si j'en avais dix mille, je les donnerais tous. Les inclinations naissantes, après tout, ont des charmes inexplicables, et tout le plaisir de l'amour est dans le changement. On goûte une douceur extrême à réduire par cent hommages le cœur d'une jeune beauté, à voir de jour en jour les petits progrès qu'on y fait, à combattre par des transports, par des larmes et des soupirs, l'innocente pudeur d'une âme qui a peine à rendre les armes, à forcer pied à pied toutes les petites résistances qu'elle nous oppose, à vaincre les scrupules dont elle se fait un honneur et la mener doucement où nous avons envie de la faire venir. Mais lorsqu'on en est maître une fois, il n'y a plus rien à dire ni rien à souhaiter ; tout le beau de la passion est fini, et nous nous endormons dans la tranquillité d'un tel amour, si quelque objet nouveau ne vient réveiller nos désirs, et présenter à notre cœur les charmes attrayants d'une conquête à faire. Enfin, il n'est rien de si doux que de triompher de la résistance d'une belle personne, et j'ai sur ce sujet l'ambition des conquérants, qui volent perpétuellement de victoire en victoire, et ne peuvent se résoudre à borner leurs souhaits. Il n'est rien qui puisse arrêter l'impétuosité de mes désirs : je me sens un cœur à aimer toute la terre ; et comme Alexandre, je souhaiterais qu'il y eût d'autres mondes, pour y pouvoir étendre mes conquêtes amoureuses.

(Pour le *Dom Juan* de Molière, on pourra se reporter au volume n° 62 de la même collection qui lui est consacré.)

Emanuele Conegliano, dit Lorenzo Da Ponte (1749-1838)

Don Giovanni, dramma giocoso (1787)
(*Don Juan, mythe littéraire et musical,* présentation de Jean Massin, 1979, D. R.)

Da Ponte écrivit pour Mozart le livret de *Don Giovanni*, opéra qui occupa dans le mythe littéraire de Don Juan une place privilégiée. La collaboration du compositeur et de son librettiste fut un modèle du genre. Mozart était bien conscient du lien entre les paroles et la musique : « Ce qu'il y a de mieux est la rencontre d'un bon compositeur qui comprend le théâtre et qui est lui-même capable de donner des indications et d'un poète intelligent, ce qui est un véritable phénix. » (Lettre à Léopold Mozart, 13 octobre 1781).

Le texte de l'air célèbre du catalogue (acte I, scène 5) se situe au début de l'opéra. Don Juan vient de tenter de séduire Anna, de tuer le père de celle-ci en duel. Insouciant, il prépare de nouvelles aventures mais Elvire, qu'il a lâchement abandonnée, le recherche pour se venger. Ne la reconnaissant pas, il commence à lui faire la cour. Lorsqu'il comprend sa bévue, il part en la laissant avec son valet Leporello. Celui-ci exhibe le catalogue. Elvire n'est qu'un simple numéro dans la liste des conquêtes.

Eh ! consolez-vous :	*Eh ! consolatevi ;*
Vous n'êtes, ni n'avez été, ni ne serez	*Non siete voi, non foste e non sarete*
Ni la première, ni la dernière. Regardez	*Nè la prima, nè l'ultima. Guardate*

Ce registre qui n'est pas mince ; il est tout rempli
Des noms de ses conquêtes.
Toute ville, tout bourg, tout village
Témoigne de ses entreprises galantes.
Ma jeune dame, voici le catalogue
Des belles qu'a aimées mon maître ;
Un catalogue que j'ai dressé moi-même ;
Regardez, lisez avec moi.

En Italie, six cent quarante ;
En Allemagne, deux cent trente ;
Cent en France ; en Turquie, nonante et une ;
Mais en Espagne il y en a déjà mille trois.

Vous avez parmi elles des paysannes,
Des soubrettes, des bourgeoises,
Vous avez des comtesses, des baronnes,
Des marquises, des princesses,
Et vous avez des femmes de tout rang,
De tout aspect, de tout âge.

De la blonde il a coutume

Questa non piccol lista ; è tutta piena
De' nomi di sue belle.
Ogni villa, ogni borgo, ogni paese
E' testimon di sue donnesche imprese.
Madonnina, il catalogo è questo
Delle belle che amó il padron mio ;

Un catalogo gli è che ho fatt'io ;

Osservate, leggete con me.

In Italia seicento e quaranta,
In Germania duecento e trentuna,
Cento in Francia, in Turchia novantuna,
Ma in Ispagna son già mille e tre.

V'han fra queste contadine,

Cameriere, cittadine,
V'han contesse, baronesse,

Marchesine, principesse,
E v'han donne d'ogni grado,

D'ogni forma, d'ogni età.

Nella bionda egli ha l'usanza

De louer la délicate amabilité ;
De la brune, la vigueur ;
Des plus blanches, la douceur ;
L'hiver il cherche la potelée ;
L'été, il cherche la mince ;
La grande est majestueuse,
La petite est toujours charmante ;
Des plus mûres il fait la conquête
Pour le plaisir de les coucher sur la liste ;
Sa passion de prédilection,
C'est la jeune à ses débuts ;
Il n'a cure qu'elle soit riche,
Qu'elle soit moche, qu'elle soit ravissante ;
Pourvu qu'elle porte un jupon,
Vous savez bien ce qu'il en fait.

(Il sort.)

Di lodar la gentilezza ;
Nella bruna, la costanza ;
Nella bianca, la dolcezza ;
Vuol d'inverno la grassotta,
Vuol d'estate la magrotta ;
E' la grande maestosa,
La piccina è ognor vezzosa ;
Delle vecchie fa conquista
Pel piacer di porle in lista ;

Sua passion predominante
E' la giovin principiante ;
Non si picca – se sia ricca,
Se sia brutta, se sia bella ;

Purchè porti la gonnella,
Voi sapete quel che fa.

(Parte.)

Pour la collection «Classiques & Contemporains», Éric-Emmanuel Schmitt a accepté de répondre aux questions de Pierre Brunel, professeur à la Sorbonne, spécialiste du mythe de Don Juan et co-auteur du présent appareil pédagogique.

PIERRE BRUNEL : *La Nuit de Valognes* est votre première œuvre officielle. Pouvez-vous expliquer les raisons qui ont motivé votre choix ?

ÉRIC-EMMANUEL SCHMITT : Don Juan, c'est la rupture, l'insolence. Dans chaque siècle, Don Juan remet en question les idées établies : l'honneur, le mariage, l'église, l'amour romantique... Philosophe, écrivain, achevant ma vingtaine d'années dans une époque de liberté sexuelle, je ne pouvais donc faire autrement qu'écrire mon *Don Juan*. J'en connaissais de nombreuses versions, je savais par cœur celles de Molière et de Mozart, mais je me rendais compte qu'il y avait une lacune énorme : on ne s'était jamais servi de Don Juan pour interroger l'identité sexuelle ! Le personnage le plus sexué et le plus sexuel de l'histoire de la littérature n'avait jamais été, théâtralement, interrogé sur sa quête sexuelle. Par-delà se posait pour moi une question très contemporaine : nos identités sexuelles sont-elles stables ou mouvantes ? Nous, nous pensons hétérosexuel ou homosexuel, mais sommes-nous à l'abri d'une surprise ? La vie n'est-elle pas toujours plus forte et plus complexe que nos esprits ne l'imaginent ?

P. B. : Pourriez-vous préciser ce que doit votre Don Juan à la philosophie et à la psychologie en fonction de votre intérêt pour Diderot ?

É.-E. S. : Diderot a eu une grande influence littéraire sur moi. Il m'a appris qu'on pouvait philosopher dans des formes non philosophiques, le conte, le roman, la comédie. Il a voulu porter « les lumières » à tout le monde. Il ose mêler le trivial et le sublime, l'anecdotique et le réflexif, le comique et le lyrisme, il n'a peur de rien. Il m'a rendu le XVIIIᵉ siècle intime : c'est sans doute pour cela que *La Nuit de Valognes* se passe au XVIIIᵉ siècle et en France. Mais l'homme Diderot, quoique grand amateur de femmes, n'a pas de rapport avec Don Juan : il n'était pas un séducteur mais un homme séduit, comme je l'ai montré dans ma pièce *Le Libertin*.

P. B. : Avez-vous été influencé par des œuvres précises ayant marqué votre formation intellectuelle et personnelle ?

É.-E. S. : Ce que je vais répondre ressemblera à un bric-à-brac. Mais tant pis ! Racine m'a marqué pour l'économie et la concision de sa langue, ainsi que pour son art de transformer le français en musique douce. Molière me plaît pour son audace, son constant mélange de genres, sa verdeur. Enfin, Tennessee Williams m'a démontré que le théâtre était toujours vivant. En dehors de ceux-là, mon écriture est très nourrie de musique et d'opéra. Aussi dans *La Nuit de Valognes* y-a-t-il un trio de femmes au premier acte, un grand duo nocturne au deuxième, un troisième acte scherzo en rondo[1]. Mais changement de tons, de rythmes, d'humeurs, correspondent aussi à des nécessités musicales. J'entends mes pièces au moment où je les écris.

---

1. Le *scherzo* désigne un morceau de musique gai et vif tandis que le *rondo* définit l'alternance d'un refrain et de couplets.

P. B. : Comment l'idée de l'épisode de l'automate vous est-elle venue et quelle(s) valeur(s) ou quelle(s) fonction(s) lui attribuez-vous ?

É.-E. S. : Dans les *Don Juan* classiques, Don Juan rencontre la statue du commandeur. Mon idée était qu'il rencontre le Fils du Commandeur. Pas un Dieu de colère et de vengeance mais un Dieu d'amour. J'ai alors reçu cette image fulgurante ; le jeune homme, pris de boisson, s'amuse à faire peur aux passants en jouant l'automate, immobile puis mouvant. Ensuite, je me suis rendu compte que ce thème, « l'apparence d'homme », était intéressant pour décrire le vide ou le malaise intérieur de ces êtres. Elle illustre la difficulté d'être un homme.

P. B. : Quelle(s) signification(s) faut-il attribuer à la violence qui parfois surgit des actes ou des paroles de Don Juan (acte III, sc. 8), ou des paroles de la Religieuse (acte III, sc. 11) ?

É.-E. S. : Cette violence est la mienne, celle d'un homme qui ne comprend pas mais qui voudrait comprendre. Elle exprime une fondamentale insatisfaction : en vivant, on joue un jeu dont on ignore les règles. Doit-on les inventer, ces règles ? Ou les retrouver ? Dieu nous les a-t-il données ? S'il l'a fait, pourquoi se tait-il depuis ? Le fait que Don Juan et la Religieuse interpellent Dieu est très significatif : elle et lui sont comme des doubles aux extrêmes, elle dévote, lui provocateur. Tous les deux sont en rapport constant avec Dieu : elle pour obéir, lui pour le défier. Mais aucun des deux n'obtient de réaction. Dieu demeure retranché dans son secret. Du coup, affleure l'idée que Dieu se comporte comme le Diable. Ce thème, j'allais le développer dans la pièce suivante, *Le Visiteur*.

P. B. : Pourriez-vous donner quelques pistes pour éclairer la question délicate de la sexualité dans *La Nuit de Valognes* ?

É.-E. S. : Don Juan est plus un homme de désir qu'un homme de plaisir. Il court après les femmes plus qu'il n'en jouit. Ce n'est pas un voluptueux mais un séducteur. Je doute qu'il soit sensuel, grisé, ivre, satisfait lors de la relation sexuelle ; chaque expérience le laisse sur sa faim puisqu'il éprouve le besoin de changer immédiatement de femme. En cela il diffère de Casanova qui, en vrai gourmet, explore pendant plusieurs semaines, voire plusieurs mois, les possibilités d'extase qu'il trouve avec une même partenaire. Don Juan cherche à apaiser une soif qu'aucune étreinte ne comble. Qu'est-ce que cela signifie ? Qu'il cherche plus dans la sexualité que la sexualité : il cherche l'amour. Il souhaite qu'une femme le retienne, l'arrête dans son errance, lui apportant une raison de rester. Là est son erreur : il poursuit l'amour au bout du désir, donc chez une femme. L'idée fondatrice de *La Nuit de Valognes* repose sur cette ruse : présenter l'amour à Don Juan en la personne d'un homme, c'est-à-dire d'un être qu'il ne désire pas. Car je ne fais pas de Don Juan un homosexuel qui se serait ignoré ; dans ma pièce, il demeure hétérosexuel, attiré d'ordinaire par le sexe féminin, ce qui rend encore plus troublant et déroutant ce qui lui arrive : tomber amoureux d'un homme ! Du coup, il n'est même pas capable de s'en rendre compte. Il lui faudra ce procès, ce guet-apens et la discussion avec Angélique pour concevoir rétrospectivement ce qui s'est réellement passé en lui. Dans la pièce, le chevalier aime les hommes, Don Juan les femmes. Le chevalier comprend donc très vite ce qui leur arrive et, en éprouvant de la honte, il se suicide, ou « se fait suicider » par Don Juan. Mais les paroles prononcées par le jeune homme avant de s'éteindre n'ont pas suffi à éclairer Don Juan, trop loin de l'idée qu'il puisse aimer, et surtout aimer un homme. Ce sera donc une révélation à retardement.

P. B. : L'expérience de l'amour non liée au sexe, car le dépassant infiniment, ne rejoint-elle pas la question philosophique de l'*éros* et de l'*agapé* grecs et ne va-t-elle pas dans le sens d'une récupération religieuse ?

É.-E. S. : J'apprécie cette question, mais je ne peux y répondre sans en faire exploser les termes. *Éros* : amour des corps. *Agapé* : amour des âmes. Certes, la fausse piste de Don Juan est sans doute d'avoir recherché l'*agapé* dans l'*éros*. Cependant, l'amour qu'il va éprouver pour le chevalier, à sa grande surprise, comprend bien ces deux dimensions : spirituelle et physique. Angélique, en définissant l'amour, le lui révèle : il regardait le chevalier comme Angélique regarde Don Juan ! Don Juan va donc saisir, avant le tombé de rideau, qu'il peut aussi bien et aussi légitimement aimer un homme qu'une femme. Car certaines rencontres sont fortes, fracassantes, capables de détruire les habitudes de la libido en la rendant plus plastique, plus mobile, indécise. Là, mon discours prône la liberté absolue et la tolérance, et je doute qu'il puisse plaire aux religions très frileuses voire congelées sur ces questions de mœurs. Excepté le bouddhisme…

P. B. : Selon vous, quelle position cette première pièce occupe-t-elle parmi vos œuvres ?

É.-E. S. : Je la revendique totalement. Certes, il y a çà et là des traces de jeunesse qui m'attendrissent : les clins d'œil aux autres *Don Juan*, le goût de la belle phrase qui tient à montrer que je suis bien un écrivain ; j'ai appris depuis à me simplifier et à abandonner ces coquetteries. Cependant, je suis en phase avec ce qui s'y dit, amusé et ému, et je demeure frappé par sa cohérence avec ce qui allait suivre, voire son aspect prémonitoire. Don Juan entre, fatigué, dans un vieux monde dont il ne veut plus et dont il va dynamiter tous les repères, toutes les certitudes, pour, à l'aube, naître à un monde nouveau, reconstruit, plus riche et plus complexe. C'était moi. C'est toujours moi. Interroger nos évidences, les balayer et découvrir avec humilité l'infinie richesse de l'univers.

P. B. : N'avez-vous jamais songé à écrire un « essai philosophique » sur Don Juan adapté à notre temps et à ses préoccupations ?

É.-E. S. : J'ai choisi de m'exprimer à travers la fiction. J'aime surtout raconter des histoires, même si je m'arrange pour qu'elles ne soient pas insignifiantes.

BIBLIOGRAPHIE

• **D'autres œuvres d'Éric-Emmanuel Schmitt**
– *Le Visiteur*, Albin Michel, 1993 (C&C n° 42).
– *Variations énigmatiques*, Albin Michel, 1997.
– *Le Libertin*, Albin Michel, 1997.
– *Diderot ou la Philosophie de la séduction*, Albin Michel, 1997.
– *Milarepa*, Albin Michel, 1997 (premier volume de la « Trilogie de l'invisible »).
– *Hôtel des deux Mondes*, Albin Michel, 1999.
– *L'Évangile selon Pilate*, Albin Michel, 2000.
– *La Part de l'autre*, Albin Michel, 2001.
– *Monsieur Ibrahim et les Fleurs du Coran*, Albin Michel, 2001 (second volume de la « Trilogie de l'invisible ») (C&C n° 57).
– *Oscar et la Dame rose*, Albin Michel, 2002 (troisième volume de la « Trilogie de l'invisible ») (C&C n° 79).
– *La Tectonique des sentiments*, Albin Michel, 2008.
– *L'Enfant de Noé*, Albin Michel, 2004 (C&C n° 109).

• **Des études sur le personnage et le mythe de Don Juan**
– Pierre Brunel (sous la direction de), *Dictionnaire des mythes littéraires*, Éditions du Rocher, 1988 ; seconde édition augmentée, 1994.
– Pierre Brunel (sous la direction de), *Dictionnaire de Don Juan*, Robert Laffont, Bouquins, 1999.
– Camille Dumoulié, *Don Juan ou l'Héroïsme du désir*, Presses universitaires de France, 1993.
– Jean Massin (présentation de), *Don Juan - Mythe littéraire et musical (recueil de textes)*, Stock Musique, 1979, rééd. Complexe, 1997.
– Otto Rank, *Don Juan et le Double*, trad. fr., 1932, Petite Bibliothèque Payot, rééd. 2001.
– Jean Rousset, *Le Mythe de Don Juan*, Armand Colin, coll. « U Prisme », 1978.

• **Des articles sur l'auteur de *La nuit de Valognes***
– Interview exclusive recueillie par Catherine Casin-Pellegrini pour la collection « Classiques et Contemporains » (Éric-Emmanuel Schmitt, *Le Visiteur*), Magnard, 2002 (p. 133 à 138).
– *Nouvelles Clés*, n° 40, hiver 2003-2004, « Éric-Emmanuel Schmitt, trouver le puits profond en soi, conversation », propos recueillis par Marc de Smedt, (p. 30-31).

MISES EN SCÈNE

– Création le 17 septembre 1991 à l'Espace 44 de Nantes puis le 4 octobre à la Comédie des Champs-Élysées, Paris.

Mise en scène : Jean-Luc Tardieu, décor : Dominique Arel, avec : Mathieu Carrière (*Don Juan*), Micheline Presle (*la Duchesse*), Florence Darel (*Angélique*), Danièle Lebrun (*la Comtesse*), Delphine Rich (*Mademoiselle de la Tringle*), Marie-Christine Rousseau (*la Religieuse*), Nathalie Juvet (*Madame Cassin*), Dominique Guillo (*le Jeune Homme*), André Gille (*Sganarelle*), Friedericke Laval (*Marion*).

– Nouvelle version crée en décembre 2005 au Théâtre Royal du Parc, Bruxelles. Mise en scène : Patricia Houyoux, décor et costumes : Thierry Bosquet, avec : Jean-Claude Frison (*Don Juan*), Colette Emmanuelle (*La Duchesse*), Stéphanie Van Vyve (*Angélique*), Isabelle Roelandt (*la Comtesse*), Laurence d'Amelio (*Mademoiselle de la Tringle*), Nathalie Willame (*la Religieuse*), France Bastoen (*Madame Cassin*), Thibaut Nève (*le Jeune Homme*), Philippe Vauchel (*Sganarelle*), Céline Bonaventure (*Marion*).

– La pièce, mise en scène par Régis Santon, a été jouée en 2007-2008 à Avignon, à Paris au théâtre Silvia Monfort et en tournée.

FILMOGRAPHIE

– *Dom Juan,* de Marcel Bluwal, 1965. Film en noir et blanc, avec Michel Piccoli et Claude Brasseur, destiné à la télévision française à l'époque de l'ORTF.
– *Don Juan*, film de Jacques Weber, avec Jacques Weber et Michel Boujenah, 1998 ; adaptation de Jean-Marie Laclavetine, Gallimard, Folio n° 3101, 1998.
– *Don Giovanni* de Mozart, sur un livret de Da Ponte. Film français (1979) réalisé par Joseph Losey, en collaboration avec Frantz Salieri, conçu par Rolf Liebermann. Orchestre et chœurs de l'Opéra de Paris dirigés par Lorin Maazel.
– Captation : le 3e acte de *La Nuit de Valognes* a été partiellement réécrit par son auteur durant l'été 2005. Cette version, mise en scène par Patricia Houyoux, a été filmée lors d'une représentation au Théâtre Royal du Parc à Bruxelles. Elle est disponible en DVD dans la collection « Le théâtre d'Éric-Emmanuel Schmitt ».

CONSULTER INTERNET

http ://www.eric-emmanuel-schmitt.com

Classiques & Contemporains

SÉRIE BANDE DESSINÉE (en coédition avec Casterman)

SÉRIE ANGLAIS

NOTES PERSONNELLES